風の谷のナウシカ

宮崎 駿　　2

TOME 2

HAYAO
MIYAZAKI

風の谷のナウシカ

NAUSICAÄ

DE LA VALLÉE DU VENT

Glénat

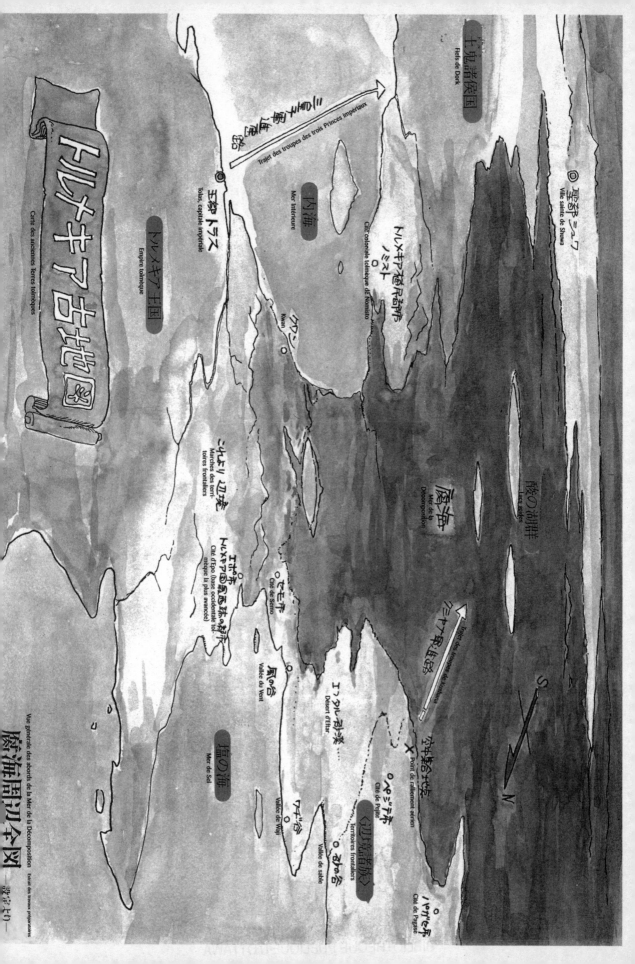

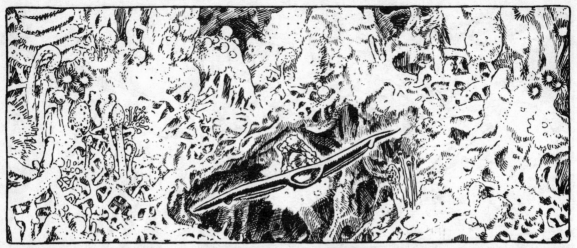

ZONE EN
ACTIVITÉ

STRATE
FOSSILISÉE

CAVITÉ
SOUTERRAINE

QUELLE
TEMPÊTE DE
MIASMES ET
DE SPORES !
LA SURFACE
DE LA FORÊT
EST EN PLEINE
ACTIVITÉ !

NOUS
SOMMES SORTIS
DE LA GROTTE !
VUE D'ICI, SES
PAROIS ÉVOQUENT
UNE CARTO-
GRAPHIE...

LE VENT
SE LÈVE !

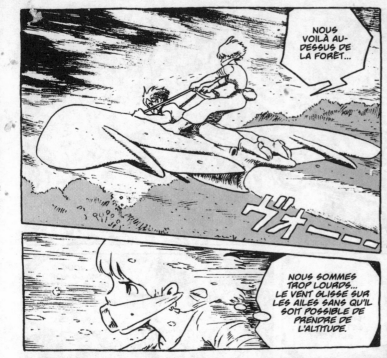

NOUS VOILÀ AU-DESSUS DE LA FORÊT...

ゾォー―――

NOUS SOMMES TROP LOURDS... LE VENT GLISSE SUR LES AILES SANS QU'IL SOIT POSSIBLE DE PRENDRE DE L'ALTITUDE.

FAISONS UN TOUR POUR TENTER DE TROUVER UN COURANT ASCENDANT.

WAH !

ESSAYONS À NOUVEAU !

ゲッ

ÇA ALORS ! L'ÉPAVE D'UN VAISSEAU DE GUERRE TOLMÈQUE !

!

QU'EST-CE QU...?!

?!

LES DORKS !

ILS DOIVENT FOUILLER L'ÉPAVE.

QUE PEUT BIEN FAIRE UN CROISEUR DORK PAR ICI ?!

ILS SE LANCENT À NOTRE POURSUITE !

NAUSICAÄ, POSE-TOI, JE VAIS LEUR PARLER ! VITE !

LAISSE-MOI FAIRE !

SI ON TENTE DE FUIR, ILS VONT NOUS ABATTRE !

8

JE NE VEUX PAS LES AFFRONTER, MAIS LEUR ACCENT EST SI FORT QUE JE NE LES COMPRENDS QU'À MOITIÉ...

C'EST UNE TRIBU QUE JE NE CONNAIS PAS, IL DOIT S'AGIR D'UN CLAN QUE LES TOLMÈQUES ONT CHASSÉ DE SES TERRES, SANS DOUTE PROCHES DE LA FORÊT.

PAR-DONNE-MOI, NAUSI-CAÄ !

ENFER ! ET CE MASQUE QUI REND LE SOUFFLE SI COURT !

C'EST LE VÉNÉRABLE... LES TRIBUS DORK ONT TOUJOURS UN BONZE À LEUR TÊTE.

...IL EST AVEUGLE !

CET HOMME...

VOUS SUIVRE... EN PRISONNIERS, EN SOMME.

TU BRÛLES DE COLÈRE TEL UN ÔMU, MAIS C'EST PARCE QUE TU ES ISSUE D'UN PEUPLE PLEIN D'ORGUEIL.

TU N'ES PAS DES TOLMÈQUES, APPAREMMENT... TU NE NOUS ES PAS HOSTILE.

PARDONNE LA GROSSIÈRETÉ DES MIENS, ET SOIS NOTRE HÔTE...

CE VAISSEAU EST FAIT EN BOIS...

TU PARLES NOTRE LANGUE ?!

J'AI VU LE COMBAT PAR LA FENÊTRE. TU ES TRÈS FORTE !

UN PEU... LE SOLDAT DE TOUT À L'HEURE, UNE BRUTE NOMMÉE OGIL : PERSONNE NE LE PLAINDRA.

OO
KS
!!

QUOI ? PAR ICI, C'EST RÉSERVÉ AUX FEMMES, APPAREMMENT. MOI JE DOIS ALLER DE L'AUTRE CÔTÉ...

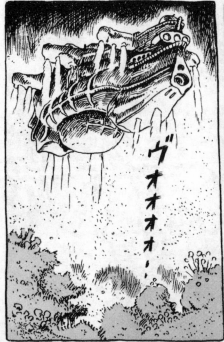

ヴォォォォォ・・・

RESTE ICI. IL N'Y A QUE DES FEMMES, AUCUN HOMME. SOIS TRANQUILLE.

ILS ONT L'AIR ÉPUISÉS... ON DIRAIT UN VAISSEAU DE RÉFUGIÉS.

DIFFICILE DE SE CROIRE À BORD D'UN CROISEUR DE GUERRE...

ゴゴゴゴゴ

AUCUNE TRACE D'UNE PRÉSENCE HUMAINE À DEUX LIGUES À LA RONDE.

JUSTE UNE CHOSE : DANS CE VILLAGE ABANDONNÉ, PRÈS DU LAC, IL Y A DES TRACES DE L'ATTERRISSAGE D'UN VAISSEAU.

NUL NE PEUT CONNAÎTRE NOTRE PLAN DE BATAILLE, MAIS UN PEU DE PRUDENCE N'A JAMAIS FAIT DE MAL.

UN APPAREIL DORK ?

NOUS NE SAVONS PAS. L'ENDROIT EST TROP ACIDE POUR FAIRE APPEL, ALORS JE FAIS CHERCHER MES HOMMES, AU CAS OÙ.

CE QUI NOUS DISPENSE, AU RESTE, D'AVOIR À PORTER CES MASQUES RESPIRA-TOIRES !

LA PROXIMITÉ DES LACS ACIDES EMPÊCHE LE DÉVELOPPEMENT DE LA MOINDRE MOISISSURE...

JE VOUS FERAI PORTER À TOUS DE L'EAU-DE-VIE, UN PEU PLUS TARD.

PRÉVIENS-MOI À LA MOINDRE NOUVELLE.

À VOS ORDRES !

QUEL COIN LUGUBRE !

RIEN, QUE DES RESTES D'INSECTES...

DEVOIR FAIRE HALTE DANS UN ENDROIT AUSSI DÉSESPÉRANT VA ME FAIRE ROUILLER JUSQU'À LA CERVELLE !

ALORS, COMMENT AVANCENT LES RÉPA-RATIONS ?

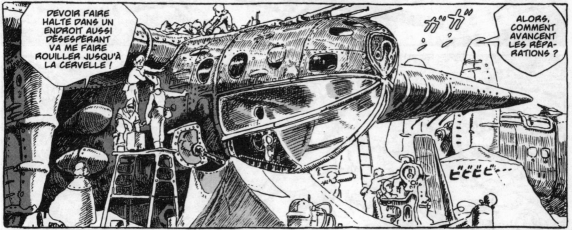

J'AI BIEN VU QUE VOUS N'ÉTIEZ PAS UN PILOTE ORDINAIRE !

VOUS ÊTES D'UNE AUTRE TREMPE QUE CES OFFICIERS ARISTOS !

OUI, À MES 16 ANS, ET PENDANT DIX ANS, J'AI PILOTÉ UNE ÉPAVE BIEN PIRE QUE CELLE-CI...

TOUT S'EXPLI-QUE !

DONNEZ-NOUS ENCORE UNE JOURNÉE, ET ON DEVRAIT EN TIRER QUELQUE CHOSE.

À PROPOS, MESSIRE, EUH... VOUS AVEZ DÉJÀ SERVI DANS LES CORVETTES ?

QU'Y A-T-IL ? UNE BAGARRE ? LES SOLDATS DES ROYAUMES SE RASSEM-BLENT...

NON, CE SONT CEUX DE LA VALLÉE DU VENT QUI S'AGITENT DEPUIS CE MATIN...

14

IL EST INTERDIT DE QUITTER LE FRONT POUR RAISONS PERSONNELLES. IL Y A DÉJÀ EU DES PRÉCÉDENTS DE DÉSERTIONS SOUS COUVERT DE MISSIONS DE SECOURS.

ELLE ATTEND QU'ON VIENNE LA CHERCHER. LA PRINCESSE N'EST PAS MORTE !

IL PARAÎT QUE LEUR CHEF N'EST TOUJOURS PAS DE RETOUR.

ALLONS, ALLONS, DU CALME ! À QUOI BON SE DISPUTER ENTRE ALLIÉS ?

ELLE A BEAU NE DIRIGER QU'UN PETIT ROYAUME, UNE VIE DE SANG ROYAL NE SIGNIFIE DONC RIEN POUR VOUS ?!

VOUS AUTRES, LES GARDES IMPÉRIAUX, VOUS ALLEZ TROP LOIN !

COMMENT ?! VOUS VOULEZ NOUS INSULTER OU QUOI ?!

MAIS ENFIN, ELLE A ÉTÉ PORTÉE DISPARUE EN PLEIN COMBAT !

BON. JE VAIS TENTER D'INTERCÉDER DIRECTEMENT AUPRÈS DE SON ALTESSE. LAISSEZ-MOI FAIRE.

HMM... JE COMPRENDS VOTRE POSITION.

LA VALLÉE DU VENT...

INUTILE DE VOUS DONNER CETTE PEINE, ALTESSE, VOTRE ACCORD EST TOUT CE...

TRÈS BIEN, JE VAIS LES ENTENDRE. FAIS ENTRER CE VASSAL.

VEUX-TU M'OBLIGER À ME RÉPÉTER, KUROTOWA ?

HEU... NON, CERTAINEMENT PAS, ALTESSE !

QUELLE ROSSE, CETTE KUSHANA ! SA RÉACTION AU SEUL NOM DE LA VALLÉE DU VENT... ÇA CACHE QUELQUE CHOSE...

SON ALTESSE VA TE RECEVOIR.

GARDE-TOI DE TOUTE IMPUDENCE !

UN OFFICIER SE DOIT DE TOUT SAVOIR ! HÉHÉ...

ET ALORS, VAS-TU RÉPONDRE ? NAUSICAÄ L'A-T-ELLE SUR ELLE ?

OU ALORS EST-ELLE VENUE EN LAISSANT LA PIERRE QUELQUE PART DANS LA VALLÉE DU VENT ?

JE SAIS QU'ELLE A RÉCUPÉRÉ CETTE PIERRE DANS L'ÉPAVE DU VAISSEAU DE PEJITE.

TOUT DÉPEND DE TA RÉPONSE.

OU ALORS, PRÉFÈRES-TU LA LAISSER OÙ ELLE EST, AU FIN FOND DE LA MER DE LA DÉCOMPOSITION ?

MITO, C'EST BIEN CELA ? DIS-MOI LA VÉRITÉ, ET JE LANCE SUR-LE-CHAMP UNE MISSION DE SECOURS.

J'ATTENDS !

NE VAUDRAIT-IL PAS MIEUX SECOURIR D'ABORD LA PRINCESSE, ET EN DISCUTER ENSUITE AVEC ELLE À VOTRE GUISE ?

JE NE SUIS QU'UN VASSAL SANS NOM. QUOI QUE LA PRINCESSE METTE DANS SES POCHES, CE N'EST PAS MOI QUI POURRAIS LE SAVOIR.

PARDONNEZ MON PEU DE MANIÈRES... MES VIEUX OS IGNORENT COMMENT RÉAGIR AUX ÉNIGMES INSOLUBLES AUXQUELLES VOUS LES SOUMETTEZ.

HÉ HÉ HÉ...

HÉ HÉ...

À VOS ORDRES !

AUTORISATION ACCORDÉE AU GUNSHIP DE PARTIR EN MISSION DE SECOURS. TU PEUX TE RETIRER.

ENFER !

LES DORKS !

VOUS N'AVEZ PAS ENTENDU UN COUP DE FEU ?

PARDON, MESSIRE ?

MES NERFS ME JOUENT DES TOURS...?

JE VOUS APPORTE DE L'EAU-DE-VIE, DE LA PART DE MESSIRE L'OFFICIER.

MAIS QU...?!

C'EST UNE ATTAQUE !

ゴオンゴオンゴオン

ゴオオオ

ビイー・・ン

NOUS SERONS AU POINT D'ATTERRISSAGE DE FORTUNE DANS QUINZE MINUTES !

オ⏀⏀⏀

LA PRINCESSE ATTEND NOTRE ARRIVÉE, J'EN SUIS SÛR ! ELLE N'EST PAS DE CELLES QUI SE LAISSERAIENT POSSÉDER PAR LA FORÊT.

ゴン ゴンゴン

MERCI...

ELLE TE PLAINT DE N'AVOIR SUR TOI QUE CES VÊTEMENTS LÉGERS. METS DONC CETTE TENUE !

ELLE APPARTENAIT À SA FILLE.

TU TE DÉBROUILLES BIEN. ELLE ME PLAISAIT, CETTE ROBE.

OÙ CELA ?

VIENS.

LE VÉNÉRABLE VEUT TE VOIR.

ELLE A ÉTÉ TUÉE PAR DES SOLDATS TOLMÈQUES.

QU'EST-IL ARRIVÉ À SA FILLE ?

C'EST SÛREMENT PARCE QUE TU LUI RESSEMBLES QU'ELLE TE L'A DONNÉE.

NOUS N'AVONS PLUS DE PAYS OÙ RETOURNER. MAIS NOUS NOUS BATTONS. REGARDE !

NOTRE PAYS ÉTAIT PETIT... L'ARMÉE TOLMÈQUE TRÈS NOMBREUSE. BEAUCOUP ONT ÉTÉ TUÉS, BRÛLÉS VIFS...

CE SONT TOUS DES VAISSEAUX ALLIÉS. NOUS ALLONS TUER LES SOLDATS TOLMÈQUES.

オンオンオン

ゴゴォーーーー

NOUS DESCENDONS VERS LE SUD... SE POURRAIT-IL QU'ILS SACHENT OÙ EST LE CAMP ?

NAUSICAÄ.

NAUSICAÄ ?!

OH NON !

NOUS N'AVONS PAS LE CHOIX. ILS SONT DÉJÀ CERNÉS... C'EST LA GUERRE...

VOUS COMPTEZ TOUS LES TUER ?

MALHEUREUSE ENFANT... AINSI LES TIENS SE TROUVENT LÀ-BAS...

COMMENT ? COMMENT POUVIEZ-VOUS LE SAVOIR ?!

JE SAVAIS, BIEN AVANT QUE LA GUERRE NE COMMENCE, QUE KUSHANA TRAVERSERAIT LA FORÊT VERS LE SUD EN PASSANT PAR ICI.

À TOI, JE PEUX LE DIRE : C'EST UNE INFORMATION PROVENANT DIRECTEMENT D'UN MEMBRE DE LA FAMILLE ROYALE TOLMÈQUE.

NOUS AUTRES, TRIBUS DÉFAITES, AVONS ÉTÉ ENVOYÉES ICI SUR ORDRE DU SAINT EMPEREUR, CŒUR DE L'UNION DES 51 PROVINCES DE DORK.

L'IMPORTANT POUR NOUS EST DE CONTRER CE MOUVEMENT ENNEMI VERS LE SUD.

POUR S'ASSURER LA SUCCESSION DU TRÔNE, ILS SONT PRÊTS À SE TRAHIR ENTRE EUX SANS SOURCILLER... AINSI EN VA-T-IL DANS LES FAMILLES ROYALES...

(COMME ELLE, LES PEUPLES DE LA PÉRIPHÉRIE SE TROUVENT CONTRAINTS À LA MOBILISATION SUR ORDRE DE L'EMPEREUR VU.)

(VÉNÉRABLE, VOUS VOYEZ, JE VOUS L'AVAIS DIT.)

TOUT CELA N'EST QUE FOLIE... POURQUOI CETTE GUERRE ? POURQUOI SUIS-JE ICI ?!

JE FERAI TOMBER L'ARMÉE DE KUSHANA, ET CONVAINCRAI LES FORCES DE LA PÉRIPHÉRIE DE SE RETIRER DE CE COMBAT.

DONNEZ-MOI DU TEMPS, VÉNÉRABLE !

IL N'Y A AUCUNE RAISON QUE VOUS ET NOUS, PEUPLES DE LA PÉRIPHÉRIE, NOUS AFFRONTIONS.

COMME PAR EXEMPLE DE VOUS DÉPLACER VERS LE NORD APRÈS AVOIR ANÉANTI LES TROUPES DE KUSHANA, POUR DÉROBER AUX ROYAUMES DE LA PÉRIPHÉRIE LEURS TERRES EN ÉCHANGE DE CELLES QUE VOUS AVEZ PERDUES...

OU ALORS, SERAIT-CE QUE LE SAINT EMPEREUR VOUS AIT AUSSI DONNÉ D'AUTRES ORDRES ?

C'EST UNE ERREUR DE CROIRE QUE LA GUERRE, ÇA N'ARRIVE JAMAIS QU'AILLEURS.

ALORS C'EST VRAI...

LA VALLÉE DU VENT SERA ELLE AUSSI RÉDUITE EN CHAMP DE BATAILLE !

MAIS OUI ! VOILÀ POURQUOI VOUS AVEZ EMMENÉ JUSQU'À FEMMES ET ENFANTS ! POUR VOUS INSTALLER EN COLONS...

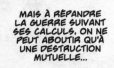

MAIS À RÉPANDRE LA GUERRE SUIVANT SES CALCULS, ON NE PEUT ABOUTIR QU'À UNE DESTRUCTION MUTUELLE...

LE PEUPLE DE PEJITE A VOULU S'OPPOSER À L'EMPEREUR VU, ET A ÉTÉ RÉDUIT À NÉANT...

ET MOI... JE N'AI PAS LA MOINDRE IDÉE DE CE QUE C'EST QUE LA GUERRE...

VÉNÉRABLE, JE VOUS EN PRIE ! JE LES CONVAINCRAI TOUS, QUOI QU'IL ARRIVE !

LAISSEZ-MOI Y ALLER !

JE REGRETTE, JEUNE FILLE, MAIS IL EST TROP TARD... CE CROISEUR FAIT PARTIE DE LA DERNIÈRE LIGNE D'ENCERCLEMENT. LA BATAILLE A PROBABLEMENT DÉJÀ COMMENCÉ AUX LACS ACIDES...

LAISSEZ-MOI Y ALLER !

ASBEL A RAISON, IL FAUT ARRÊTER CETTE FOLIE GUERRIÈRE !!

MALÉDICTION ! EN GUISE DE PRINCESSE, TOMBER SUR UNE FLOTTE DORK !

ILS VONT ATTAQUER LE CAMPEMENT ! ÇA NE NOUS LAISSE PAS LE CHOIX, IL FAUT CONTRE-ATTAQUER !

ET LA PRINCESSE ?! SI NOUS SOMMES ABATTUS...

ELLE AGIRAIT DE MÊME, À COUP SÛR !

DEUX PLEINES SALVES, ET PAS UN SEUL TIR SUR L'OBJECTIF !

BONS À RIEN DE CANON-NIERS !

VÉNÉRABLE, VOUS ÊTES ATTENDU SUR LE PONT !

27

(C'EST UN GUNSHIP TOLMÈQUE.)

(IL SE MAINTIENT EN POSITION DOMINANTE À LA VERTICALE.)

C'EST MITO !

(TU N'AS RIEN À FAIRE ICI !)

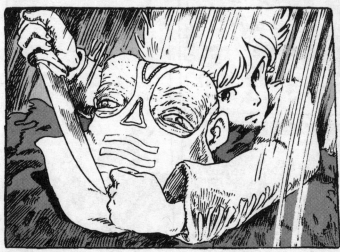

CESSEZ LE COMBAT SUR-LE-CHAMP! OU LE VÉNÉRABLE EST UN HOMME MORT!

PAS UN GESTE!

NAUSICAÄ, QUE FAIS-TU ?!

PRENDS SON PISTOLET! VITE !!

VÉNÉRABLE, JE VOUS EN PRIE! FAITES CE QUE JE VOUS DIS...

C'EST DE LA FOLIE! ÇA NE PEUT QU'ENVENIMER LA SITUATION !

ON ATTAQUE L'APPAREIL DE TÊTE!

JEUNE FILLE... ME CROIS-TU HOMME À CRAINDRE POUR MA VIE ?

LE GUNSHIP PEUT METTRE CE VAISSEAU EN PIÈCES D'UN SEUL IMPACT! JE VOUS EN PRIE, VITE! IL N'Y A PAS UNE SECONDE À PERDRE...

NON... MAIS JE NE CROIS PAS QUE VOUS PUISSIEZ MOURIR MAINTENANT... LE DESTIN DE VOTRE TRIBU DÉPEND DE VOUS...

HA HA !
T'EN FAIS
PAS !

PILOTE !
ÉVITE
D'ATTRAPER
UN TOUR DE
REINS PAR DES
ACROBATIES
INUTILES !

PARÉ À
TIRER !

HEIN...
?!

30

QU'EST-CE QUI SE PASSE ? POURQUOI TU N'AS PAS TIRÉ ?!

ILS ONT HISSÉ LE PAVILLON DE TRÊVE !

C'EST LA PRINCESSE ?!

NAUSI-CAÂ !

ICI... NAU... SI...

DES SIGNAUX LUMINEUX...

AUCUNE IDÉE ! MAIS ENVOIE LE SIGNAL DE RÉCEPTION ! IL FAUT COUVRIR LA PRINCESSE !

"JE SORS AVEC LE MŒVE. ATTENDEZ-MOI"... QU'EST-CE QUI A BIEN PU SE PASSER ?!

ASBEL, MONTE EN PREMIER.

VOILÀ TON MASQUE. LE MŒVE EST PRÊT ÉGALEMENT.

MOI, JE RESTE.

JE DOIS ARRÊTER CETTE GUERRE À TOUT PRIX !

VÉNÉRABLE, PARDONNEZ-MOI D'AVOIR EU RECOURS À LA VIOLENCE...

JE COMPTE SUR TOI POUR CONVAINCRE LES AUTRES. MOI, JE FERAI DE MON MIEUX ICI...

IL FAUT PARTIR, NAUSICAÄ.

VOLER À NOUVEAU À DEUX SUR UNE AILE MŒVE, TRÈS PEU POUR MOI !

QUOI... ?!

...

OÙ EN ÉTIONS-NOUS RESTÉS DE NOTRE DISCUSSION ?...

BON, VOYONS VOIR...

(HOLÀ, VOUS AUTRES ! OCCUPEZ-VOUS DE LUI COMME IL L'A MÉRITÉ, MAIS INTERDICTION DE LE TUER !)

UNE ENFANT REMARQUABLE... JE N'AI JAMAIS VU UNE ALCHIMIE AUSSI PROFONDE DE DOUCEUR ET D'INTRÉPIDITÉ. RESTE À ESPÉRER QU'ELLE NE MEURE PAS EN VAIN...

HO HO HO... ENVOLÉE COMME UNE HIRONDELLE !

BON, VOUS TOUS ! NOUS POURSUIVONS L'ASSAUT COMME PRÉVU !

PARÉS À LA RÉCEPTION !

CROCHET PARÉ ! GARDONS VITESSE CONSTANTE.

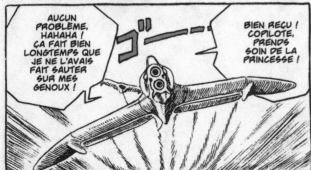

AUCUN PROBLÈME, HAHAHA ! ÇA FAIT BIEN LONGTEMPS QUE JE NE L'AVAIS FAIT SAUTER SUR MES GENOUX !

BIEN REÇU ! COPILOTE, PRENDS SOIN DE LA PRINCESSE !

MERCI À TOUS !

AU CAMPEMENT, VITE ! VITESSE DE CROISIÈRE EN MODE DE COMBAT !

ARRIVÉE AUX LACS ACIDES DANS TROIS MINUTES.

LA FORÊT S'ÉCLAIRCIT, AUCUN ENNEMI EN VUE...

CETTE DOULEUR SOUDAINE DANS MA POITRINE...

PRIN-CESSE!

QU'Y A-T-IL, PRINCESSE?!

LES MIASMES SONT DE PLUS EN PLUS CLAIRSEMÉS.

IMPOS-SIBLE... ET POUR-TANT...

DES ÔMUS...?!

PRINCESSE! QUE FAITES-VOUS?!

CELA VIENT D'UNE HAINE TERRIBLE... CETTE ATMOSPHÈRE EST PLEINE DE VOIX EN COLÈRE!

MITO ! LÀ-BAS !

SES YEUX SONT INCANDESCENTS... SA COLÈRE EST DÉCHAÎNÉE.

UN ÖMU ! IL SE DIRIGE DROIT SUR LE CAMPEMENT !

ET SURTOUT, IL N'EST PAS SEUL ! IL Y EN A UNE VÉRITABLE MARÉE !

SERAIT-CE CELA, LE PIÈGE DORK ? MAIS POURQUOI LES ÖMUS SONT-ILS...

PRIN-CESSE ! DEVANT NOUS !

C'EST
UNE JARRE
VOLANTE
DORK !

ヒュルルルル

ルルルルルル

ヒュルルルル

C'EST
MONSTRUEUX...
SE SERVIR DE
L'INSTINCT DE
PROTECTION
DES INSECTES
ENVERS LEURS
SEMBLABLES
POUR FAIRE LA
GUERRE...

ILS L'ONT
TORTURÉ
POUR ATTIRER
LA HORDE DES
ÔMUS VERS LE
CAMPEMENT !

C'EST
UN JEUNE
ÔMU !

PRÉVENEZ LES
AUTRES ! S'ILS NE
DÉCOLLENT PAS AU
PLUS VITE, ILS VONT
ÊTRE RÉDUITS À
NÉANT !

ドッ ドゥ

PRIN-
CESSE !

バウ

LES
MISÉRABLES !
JE M'EN
VAIS LES
ABATTRE !

MAIS
COMMENT
COMPTEZ
VOUS...

NON !
LAISSEZ-
MOI FAIRE !
RAMENEZ LE
MOEVE À
PORTÉE.

ATTAQUE
ENNEMIE !

CE
SONT LES
DORKS !

FORMEZ UN RANG DE TIR ! FEU À VOLONTÉ !

NE LES LAISSEZ PAS APPROCHER DES APPAREILS ! STOPPEZ-LES SUR PLACE !

MAÎTRISEZ CE FEU ! PROTÉGEZ LES BARGES !

CE SONT DES COMMANDOS SUICIDE DORKS ! ILS SONT CHARGÉS D'EXPLOSIFS !

PLACEZ DES HOMMES AUX POSTES DE TIR ! LES VAISSEAUX SONT LEUR OBJECTIF. NE LES LAISSEZ PAS LES DÉTRUIRE !

MAUDITS SOIENT-ILS ! QU'ONT DONC FABRIQUÉ LES MAÎTRES-VERS AUX AVANT-POSTES ?! ILS ONT RÉDUIT MES PLANS À NÉANT !

TES EXCUSES NE M'INTÉRESSENT PAS, KUROTOWA. QUE PENSES-TU DE LA SITUATION ?

PAR-DONNEZ-MOI ?

VOTRE ALTESSE ! JE NE SAIS COMMENT VOUS EXPLIQUER... LES MAÎTRES-VERS...

LES DORKS SONT DE FINS GUERRIERS. ILS NE SACRIFIENT PAS DE SOLDATS EN VAIN.

VOUS PENSEZ QU'IL S'AGIT D'UNE DIVERSION, ET QU'UNE GRANDE ARMÉE SERAIT DISSIMULÉE DANS NOTRE DOS ?

ON LES DIRAIT PRIS DE DÉMENCE DANS LEUR ASSAUT, COMME S'ILS CRAIGNAIENT DE NOUS VOIR DÉCOLLER... TU NE TROUVES PAS ?

ON DIRAIT, EN EFFET. MAIS CE SONT DES BARBARES, ET NUL NE PEUT SAVOIR...

LES FORCES ENNEMIES N'ONT PAS L'AIR TRÈS IMPORTANTES. LEUR PUISSANCE DE FEU NON PLUS. POURQUOI, DANS CE CAS, NE PRATIQUENT-ILS PAS LA STRATÉGIE MAÎTRESSE DORK, L'ATTAQUE NOCTURNE ?

IL PEUT TOUT AUSSI BIEN S'AGIR D'UNE SIMPLE RENCONTRE FORTUITE AVEC UNE UNITÉ D'ÉCLAIREURS... MAIS ÇA NE ME PLAÎT VRAIMENT PAS...

NE VOUS EXPOSEZ PAS EN VAIN, ALTESSE !

MAIS VOUS N'ÊTES PAS OBLIGÉE D'Y PRENDRE PART EN PERSONNE...

EN LANÇANT UNE CHARGE, ON DEVRAIT POUVOIR DÉCELER LEURS INTENTIONS.

AVANT TOUT, S'EN TIRER VIVANT !

AÏE AÏE AÏE !

MAIS TU NE DOIS PAS ENCORE SAVOIR QUE TES PROPRES FRÈRES DE SANG T'ONT TRAHIE...

QUEL FIN STRATÈGE, KUSHANA ! TIRER AUTANT DE SI PEU D'HOMMES, C'EST IMPRESSIONNANT !

PRINCESSE ! QUE COMPTEZ-VOUS DONC FAIRE AVEC UN SIMPLE PISTOLET ?!

IMPOSSIBLE ! ON N'A PAS LE TEMPS ! DIRECTION LE CAMPEMENT !

PILOTE ! FAIS DEMI-TOUR ! TU VEUX LA LAISSER SE FAIRE TUER ?!

ELLE SE TERRE DANS L'ANGLE MORT !

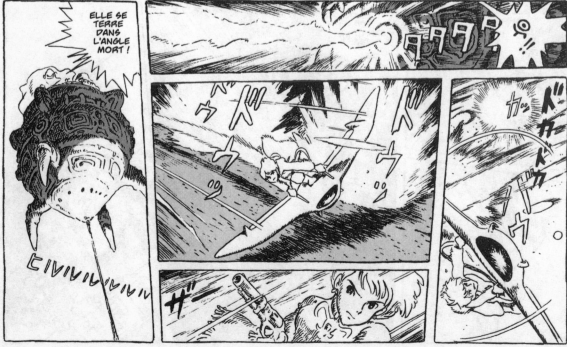

(QUELLE
EST CETTE
DONZELLE ?!
ELLE A RÉUSSI
À TRANCHER
UNE DES
CORDES !)

(ELLE
VEUT FAIRE
TOMBER
L'APPÂT
DANS LE
LAC !)

(ELLE
REVIENT ! NE
LA LAISSE PAS
APPROCHER !
DESCENDS-
LA !)

(ENFER !
ON DIRAIT UN
OISEAU !)

42

(ON N'Y ARRIVERA PAS COMME ÇA ! COMMENÇONS PAR DÉPOSER LA BESTIOLE SUR CE BANC DE SABLE.)

(QU'EST-CE QUE TU FABRIQUES ? DÉTACHE LA CORDE !)

(CRÉNOM ! LE CROCHET EST PRIS !)

(DÉPÊCHE-TOI !!)

C'EST MONSTRUEUX...
POUR AMEUTER
LES ÔMUS ET ATTISER
LEUR COLÈRE, ILS ONT
DÉLIBÉRÉMENT ÉPARGNÉ
LES POINTS VITAUX...
COMME POUR LE
CONDAMNER À SOUFFRIR
LE MARTYRE SUR CETTE
ÎLE PENDANT DES
SEMAINES !

RESTE SAGE, NE BOUGE PAS ! TU VAS PERDRE TON SANG...

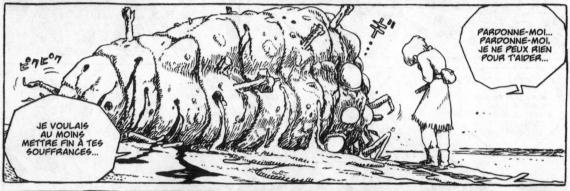

PARDONNE-MOI... PARDONNE-MOI, JE NE PEUX RIEN POUR T'AIDER...

JE VOULAIS AU MOINS METTRE FIN À TES SOUFFRANCES...

MAIS ...?!

...C'EST TROP FACILE... LA MANŒUVRE EST HABILE, MAIS IL S'AGIT CLAIREMENT D'UNE RETRAITE PROGRAMMÉE.

NON...

L'ENNEMI ENTAME UN REPLI. AUCUNE TROUPE EMBUSQUÉE EN VUE. IL DEVAIT S'AGIR D'UNE SIMPLE UNITÉ D'ÉCLAIREURS.

HA HA HA ! ILS SONT FAITS COMME DES RATS !

MAIS QUELLE IDÉE DE FUIR VERS UN ENDROIT PAREIL !

UN BLOCKHAUS MOBILE EN CARAPACE D'ÔMU ! D'OÙ PEUT-IL SORTIR ?

ET LÀ-BAS ? QUELLE EST CETTE LUMIÈRE ?!

C'EST LE GUNSHIP DE LA VALLÉE DU VENT ! IL EST VENU EN RENFORT !

MAIS OÙ TIRE-T-IL DONC ?! IL A VISÉ DÉLIBÉRÉMENT DROIT DEVANT NOUS !

COMMENT ?! VOTRE ALTESSE...

LE VENT TOURNE ! RAPPELEZ LES HOMMES !

LES INSECTES ! UNE NUÉE D'ÔMUS SE DIRIGENT PAR ICI !

WAAH ! ILS APPELLENT ÇA UN ATTERRISSAGE ?!

GARE !

C'EST MITO ! IL EST DE RETOUR !

QUOI ?!

ET LA PRINCESSE ?!

ILS DÉBOULENT VERS LE CAMPEMENT DE TOUTES LES DIRECTIONS ! C'EST UN PIÈGE DORK !

MITO ! OÙ EST LA PRINCESSE ?!

LES ÔMUS ! LES ÔMUS ARRIVENT !

CEUX DE LA VALLÉE DU SABLE, RASSEM-BLEMENT ! DÉCHARGEZ TOUT LE MATÉRIEL TERRESTRE !

EN RETRAITE ! TOUT LE MONDE À BORD !

CE SONT SES ORDRES !

QUOI ? ET VOUS L'AVEZ LAISSÉE SEULE ?!

ELLE SE BAT CONTRE LES DORKS.

LA PRINCESSE EST TROP GÉNÉREUSE ! SA BONTÉ LA PERDRA !

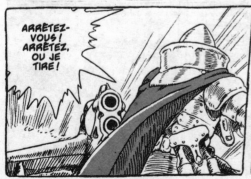

ARRÊTEZ-VOUS ! ARRÊTEZ, OU JE TIRE !

REVENEZ ! REVENEZ ! TOUTE INSUBORDINATION SERA PUNIE !

ウオオオオーーーン
ウオオオーーン
ウオオオーーン
ウオオオーーン
ウオオオーー

VOTRE ALTESSE ! VOYEZ L'HORIZON À L'EST !

ドドドドド ドドドド

UNE MARÉE D'INSECTES ! ILS ARRIVENT À TOUTE ALLURE !

ドドドドドドドド

ドオオオーーー

ドドドドド

IL Y EN A AUSSI DERRIÈRE NOUS ! MAIS COMMENT ...?!

ワーー

ワーー

ドドドオーーーー

LE GUNSHIP VOULAIT DONC NOUS AVERTIR !

IL EN ARRIVE AUSSI PAR L'OUEST ! ILS SONT INNOMBRABLES !

ON PEUT ENCORE S'EN SORTIR. HÂTEZ LE RETRAIT DES TROUPES !

50

PAS DE PANIQUE! VERS LES VAISSEAUX! VITE!

ドオオーー

ザザザザ

ザザザザ

VOTRE ALTESSE, HÂTEZ-VOUS!

ABAN-DONNEZ LES MONTURES! NE LAISSEZ PAS LES BLESSÉS!

FAIS DESCENDRE CEUX QUI SONT À BORD!

LAISSE-NOUS MONTER OU TU MOURRAS!

IMPOSSIBLE! CET APPAREIL EST PLEIN ET ATTEND UNIQUEMENT SON ALTESSE!

LAISSEZ-NOUS MONTER! PAR PITIÉ!

ÉCARTEZ-VOUS! PLACE!

ファフファ

ダダダダダ

ダダダ

ヴロオオオオ

ON ARRÊTE LES FRAIS! DÉCOL-LAGE!

52

ウオオオオーーゥ…

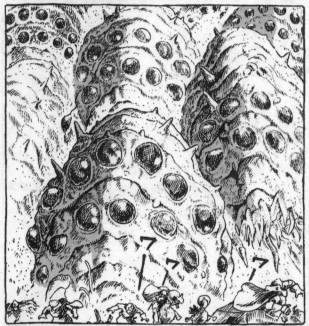

ゴ

ドドド

ゴォー

ザザザ

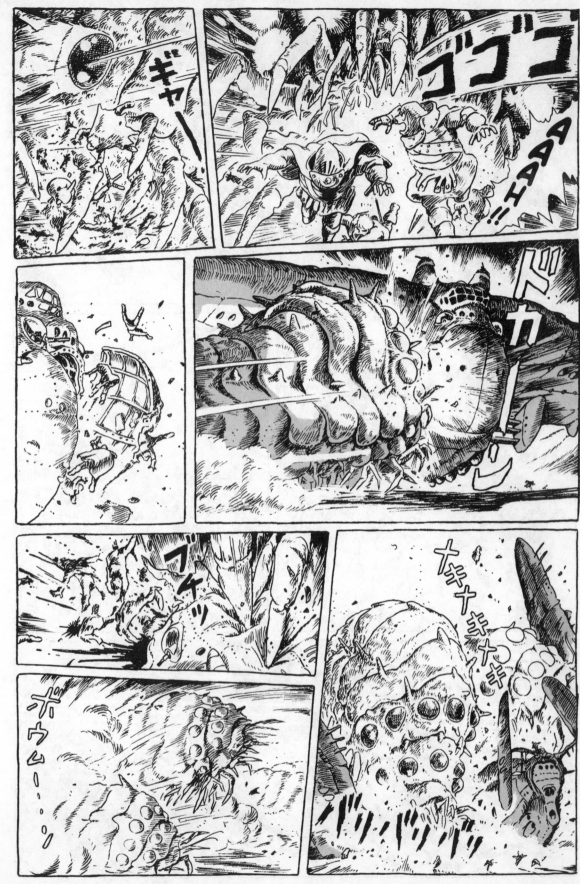

MALHEUR ! JE SAVAIS QU'ELLE AURAIT DÛ RENTRER À LA CAPITALE ! CETTE CAMPAGNE D'AVANCÉE VERS LE SUD TOUT ENTIÈRE N'ÉTAIT QU'UN PIÈGE !

AUCUNE IDÉE ! JE L'AI PERDUE DANS LA TOURMENTE !

LA PRIN-CESSE ! A-T-ELLE RÉUSSI À S'ÉCHAP-PER ?!

LA PRINCESSE A ÉTÉ TRAHIE PAR SES FRÈRES !

56

ILS POURSUIVENT LEUR CHEMIN AU-DELÀ DU CAMPEMENT. OÙ PEUVENT-ILS TOUS BIEN ALLER, AINSI RÉUNIS ?

...JE SUIS DÉSOLÉ, MAIS C'ÉTAIT LE SEUL MOYEN POUR VOUS SAUVER. TE-NEZ...

HO HO !

VOTRE ALTESSE ! VOUS AVEZ REPRIS VOS ESPRITS ?

LA FLOTTE EST TOTALEMENT ANÉANTIE...

NOTRE APPAREIL EST LE SEUL QUI AIT PU DÉCOLLER.

QU'EST-IL ARRIVÉ À MES TROUPES ? ILS ONT PU S'EN SORTIR ?

KURO-TOWA !

T... TRÈS BIEN !

À LA POURSUITE DES INSECTES ! IL NOUS FAUT DÉCOUVRIR COMMENT LES DORKS LES DIRIGENT !

HÉ HÉ... LA PRO-CHAINE FOIS, J'ESPÈRE BIEN L'ÉTREINDRE SANS SON ARMURE...

JE RESTE AVEC TOI JUSQU'AU BOUT...

ギッ

JE SUIS LÀ...

LÈVE-TOI!

ドッ ク ドッ

...DEBOUT!

ジッ

ココロ

ビュッ

ギッ

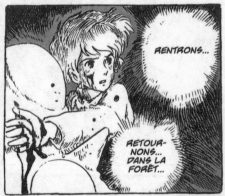

RENTRONS...

RETOUR- NONS... DANS LA FORÊT...

LÀ-BAS, LA PRINCESSE ! ELLE EST AVEC LE JEUNE ÔMU QUI A SERVI D'APPÂT.

QUEL ATTROUPEMENT ! LES RIVES DU LAC SONT NOIRES D'ÔMUS !

SI TU PÉNÈTRES DANS L'EAU, TON CORPS VA SE DISSOUDRE !

ズズッ ズッ

IL NE FAUT PAS ENTRER DANS CE LAC !

NON ! ARRÊTE !

AAHH !

ジュルルルル

ズー

オズオズ

PAUVRE
PETIT ! TOI
QUI VOUDRAIS
TELLEMENT
REJOINDRE
LES TIENS...

PEUT-
ÊTRE
QUE...!

C'EST LA
CORVETTE
BLINDÉE...

ウオォォ─……ン

TU ES GENTIL.
ÇA VA... TON
SANG A APAISÉ
LA DOULEUR.

ジュー─────!

ジュルルル

カッ

N'APPROCHEZ PAS !

N'ENTREZ PAS DANS LE LAC ! LAISSEZ-MOI FAIRE !

NOUS SOMMES PRESQUE RENDUS AUX LACS ACIDES !

VÉNÉRABLE ! QUELQUE CHOSE NE VA PAS ?

プ‼

ARRÊTEZ L'AVANCÉE DES VAISSEAUX ET PRÉPAREZ LES JARRES VOLANTES !

ÉCOUTEZ-MOI TOUS ! NOUS ARRÊTONS NOTRE PROGRESSION ICI !

ゴゴゴ

ゴオン ゴ`ン ゴ`ン

CE CRI QUI TRAVERSE TOUT MON CORPS... CE POUVOIR... SE POURRAIT-IL...?!

ドウッ

ヒュー

C'EST UN MAÎTRE DU VENT DES ROYAUMES PÉRIPHÉRIQUES ! UNE FILLE ?!

シャー

UN PLANEUR, JUSTE EN DESSOUS DE NOUS !

AVEC UN PLANEUR PAREIL, ELLE ARRIVE À SE SERVIR DE L'APPEL D'AIR CAUSÉ PAR NOTRE APPAREIL !

INCROY- ABLE !

ELLE A PÉNÉTRÉ DANS LA SOUTE ARRIÈRE !

KUROTOWA. J'AI À DISCUTER AVEC CETTE FILLE. LAISSE- NOUS !

HEIN ?

ÉCARTEZ- VOUS ! PLACE !

VOTRE ALTESSE !

TRÈS BIEN... MAIS... VOS CHE- VEUX...

REFERME CETTE PORTE, TU M'ENTENDS ?!

GROMPH ! OÙ EST SITUÉ LE TUBE DE TRANSMISSION AVEC LA SOUTE ARRIÈRE ?

À VOS ORDRES !

KURO-TOWA !

NAUSICAÄ ? ALORS C'EST DONC ELLE...

HA HA... AS-TU PERDU LA TÊTE, NAUSI-CAÄ ?!

TU VEUX QU'ON TRANSPORTE CE PETIT D'ÖMU QUI A SERVI D'APPÂT AVEC NOTRE VAISSEAU ?

IL EST TROP TARD POUR LE SAUVER, JE LE SAIS, MAIS JE VEUX AU MOINS QU'ON LE RENDE À LA FORÊT.

ET CES VÊTEMENTS ? C'EST UNE TENUE DORK ! C'EST DONC TOI QUI LEUR AS INDIQUÉ L'EMPLACEMENT DE NOTRE CAMP !

MES HOMMES SONT MORTS, D'UNE MORT DÉNUÉE DE TOUTE GLOIRE, DE TOUT HONNEUR, COMME DES CHIENS, PAR LA FAUTE DE CES INSECTES ! QU'ILS SOUFFRENT TOUJOURS PLUS !

JE SUIS PRÊTE À TOUT T'EXPLIQUER EN DÉTAIL, MAIS LE TRANSPORT DE L'ÖMU EST MA CONDITION.

TSS... TSS..

UN PIÈGE COMME CELUI-CI NÉCESSITE UN TEMPS DE PRÉPA-RATION IMPOR-TANT.

LES DORKS SAVAIENT QUE TU FERAIS CE MOUVEMENT VERS LE SUD AVANT MÊME QUE LA GUERRE NE COMMENCE.

KURO-TOWA !

OUI ?

QUE TA PAROLE SOIT PRONONCÉE SUR LE NOM DE TA MÈRE ! OÙ EST LA PIERRE ?!

NOUS Y VOILÀ !

HA HA HA... TRÈS BIEN, MAIS J'AI MOI AUSSI UNE CONDITION.

NOUS ALLONS NOUS POSER SUR LE BANC DE SABLE. PRENDS LES COMMANDES, ET SUIS LES DIRECTIVES DE NAUSICAÄ.

VOILÀ TES EFFORTS D'OFFICIER-SURVEILLANT RÉCOMPENSÉS : TU AS ENTENDU OÙ NOUS EN SOMMES.

AÏE ! JE ME SUIS FAIT REPÉRER COMME UN BLEU !

SUIS MES INSTRUCTIONS. JE VAIS LIRE LES MOUVEMENTS DU VENT.

TU PARLES SÉRIEUSE-MENT ?!

QUOI ? TU N'AS QUAND MÊME PAS L'INTENTION DE NOUS FAIRE ATTERRIR SUR CETTE ÎLE ?!

TRÊVE DE PLAISANTERIE ! MÊME MOI, JE N'Y ARRIVERAIS PAS !

TU ES FOLLE ! CET APPAREIL N'EST PAS UN CERF-VOLANT ! ON VA PERDRE DE LA VITESSE !

IL Y A UNE BRISE DE SUD-SUD-EST. METS-TOI EN APPROCHE, LE NEZ EXPOSÉ À CE VENT.

GARDE LE CAP !

POURSUIS LA PHASE DE DES-CENTE !

ウオオ

WAAAH !...

ÇA VA ALLER ! JE PERÇOIS LA PRESSION D'AIR AMASSÉE AU-DESSUS DE LA SURFACE DE L'EAU.

QU... QUOI ?!

...

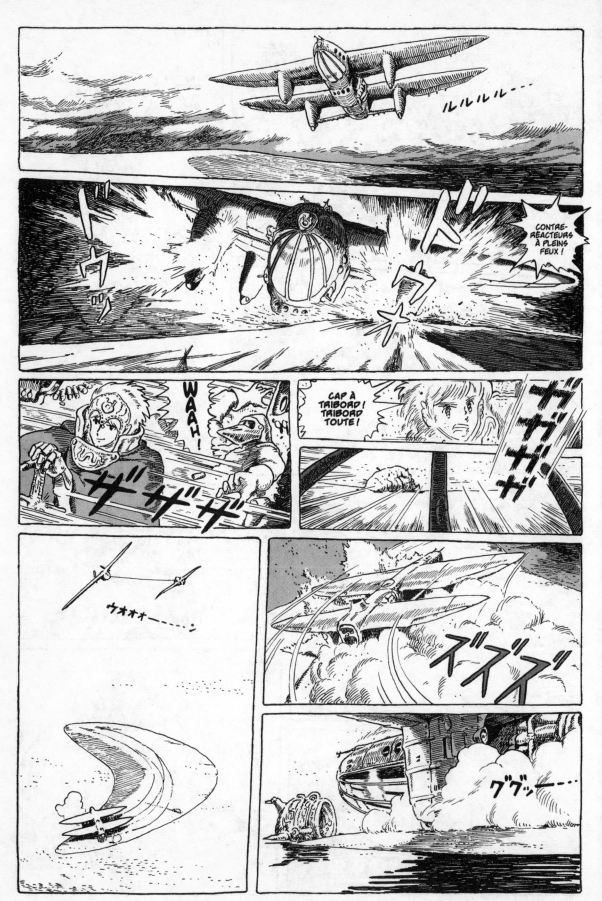

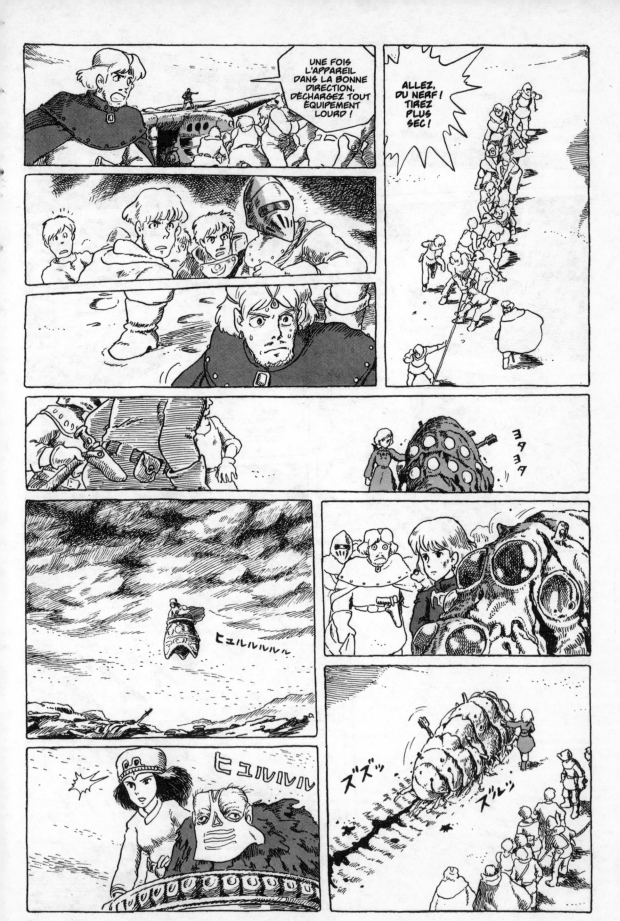

VÉNÉRABLE ! LE BLOCKHAUS MOBILE DU CLAN VIDA EST EN PIÈCES ! LES ÖMUS L'ONT RÉDUIT EN MORCEAUX !

JE LES AVAIS POURTANT PRÉVENUS QUE LES ÖMUS ÉTAIENT DES CRÉATURES SACRÉES, INTOUCHABLES...

DIABLE ! QUELLE FIN CRUELLE... L'EMPIRE ET LE CLAN DE VIDA ONT SOUS-ESTIMÉ LES ÖMUS.

ET LES GUERRIERS DU CLAN DE VIDA DE MÊME...

OUI, MAIS L'ARMÉE TOLMÈQUE EST ANÉANTIE !

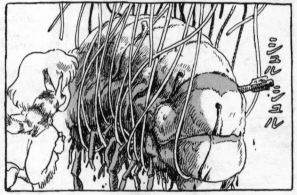

ADIEU...

QUEL ÔMU
MAJESTUEUX...
COMME UNE
FORÊT À LUI
SEUL...

VOTRE ALTESSE ! NE SORTEZ PAS, C'EST DANGEREUX !

!

CE NE SONT PAS DES SPORES ! QUELS SONT CES GRAINS DE LUMIÈRE ?!

MERCI... MERCI À TOUS...

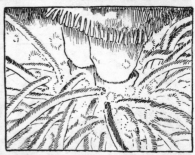

LA DOULEUR DE MA BRÛLURE FOND COMME DANS UNE EAU COURANTE...

MERCI...

DU FOND DU CŒUR...

LES ÔMUS ONT OUVERT LEUR CŒUR !

UNE VAGUE DE DOUCEUR ET D'AMOUR ME SERRE LA POITRINE...

MAIS... LA COULEUR EN EST DIFFÉRENTE...

LA DISTANCE M'EMPÊCHE DE BIEN VOIR... ELLE PORTE UNE TENUE BLEUE. C'EST BIEN CELLE QUE LUI A DONNÉE LA VIEILLE DAME...

REGARDE ! QUE TON REGARD REMPLACE MES YEUX AVEUGLES...

KECHA ! COMMENT T'APPARAÎT-ELLE AU MILIEU DES ÔMU ?

ON CROIRAIT QU'ELLE MARCHE À TRAVERS UNE PLAINE DORÉE DE LUMIÈRE AU CRÉPUSCULE...

ET LEURS TENTACULES FORMENT COMME UNE VÉGÉTATION D'OR FLOTTANT AU GRÉ DU VENT...

ELLE EST D'UN BLEU PROFOND, COMME LAVÉE PAR LE SANG DES ÔMUS...

"ET L'ÉLU, VÊTU DE BLEU, VIENDRA À VOUS, DESCENDANT UN CHAMP D'OR"

75

RETOURNE
VERS LE
NORD...

ザワザワザ

ザザザ

POURQUOI
LA FORÊT
AU SUD
A-T-ELLE
BESOIN
D'AIDE ?

VOUS VOUS
DIRIGEZ
DONC VERS
LA FORÊT
DANS LE
SUD, VOUS
AUSSI ?

RÉPONDEZ-
MOI! AU SUD
SE TROUVENT
LES COMTÉS
DORK. QUE S'Y
PASSE-T-IL ?

JE NE
COMPRENDS
PAS... D'UN
SEUL COUP,
ILS M'ONT
FERMÉ LEUR
ESPRIT...

•••

サラサラ

カサカサ

RETOURNE
VERS LE
NORD...

•••

ブファ ブファ

ザザザザ

ALORS ?
ÇA M'A L'AIR
PLUTÔT PAS
MAL...

HMM... LES
GRAINS SONT
LOURDS ET
CHARGÉS DE
JUS... LE VENT A
BIEN SOUFFLÉ
CETTE ANNÉE.

HOLÀ,
VOUS
AUTRES !
ON FAIT
UNE PETITE
PAUSE !

HÉ,
REGARDEZ
LÀ-BAS !

C'EST LE GUNSHIP !

LA PRINCESSE EST DE RETOUR !

ヒィーーーン

ウオオオオーーーーーーン

グウオオオオーーー

 オーーンオーーンオーーン

ILS VONT ATTERRIR DANS LA VALLÉE !

MAIS C'EST LA FLOTTE DE L'EXPÉDITION DE COMBAT ! QUELLE ARMADA !

ウオオオーーーーーン

DÉGAGEZ LES PISTES D'ATTERRIS-SAGE, VITE !

DÉPÊCHEZ-VOUS ! IL S'EST SÛREMENT PASSÉ QUELQUE CHOSE !

C'EST DU JAMAIS VU !

VOUS
ÊTES DE
RETOUR !

PRIN-
CESSE !

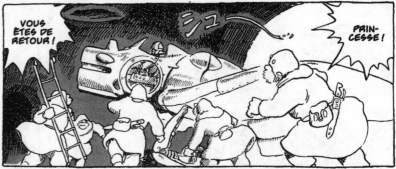

COMMENT ?!
TU VEUX DIRE
QUE TU L'AS
LAISSÉE SUR
PLACE ?
POURQUOI ?!

ELLE N'EST
PAS ICI. ELLE
EST RESTÉE
AU CHAMP DE
BATAILLE...

MAIS...
MITO ?!
OÙ EST LA
PRINCESSE
?

ELLE EST
À BORD DE
LA BARGE
OU QUOI ?!

COMMENT
?!

LA
PRINCESSE
ACCOMPAGNE
ACTUELLEMENT
LES
SURVIVANTS
DE L'ARMÉE
TOLMÈQUE
DANS LEUR
AVANCÉE VERS
LE SUD DE LA
MER DE LA
DÉCOMPO-
SITION.

EST-ELLE
AU MOINS
SAINE ET
SAUVE ?!

AAH !
MAIS
TAISEZ-VOUS
DONC !

ESPÈCE
DE... ET TU
OSES TE
PRÉTENDRE
À SON
SERVICE ?!

EXPLIQUE-
TOI ! ET VITE !

MITO...

C'EST
COMPRIS ?
SI OUI, ALORS TOUS
EN PLACE,
ET VITE !

IL Y A
DES BLESSÉS,
ET TOUT LE
MONDE MEURT
DE FAIM.

...QUE LES CHEFS
DE CLAN DE LA
PÉRIPHÉRIE SONT
ICI. ILS ONT POUR
INSTRUCTION DE
SE POSER SUR
LE RIVAGE.
ENVOYEZ UN
GROUPE À LEUR
RENCONTRE.

JE
PARLERAI
PLUS EN
DÉTAIL
DEVANT
MESSIRE
JILL. C'EST
AUSSI
POUR ÇA...

PAR CHANCE, IL RESTE MAÎTRE DE SON ESPRIT COMME DE SON DISCOURS...

AINSI, LES YEUX DE NOTRE ROI NE VOIENT PLUS LE JOUR... LA FIN EST PROCHE...

ウオオオオオ

COMMENT ?...

QUAND LES CHEFS DE CLANS ARRIVERONT, MÈNE-LES À SA CHAMBRE.

AVANT TOUT, JE DOIS LE VOIR ET LUI FAIRE MON RAPPORT.

ヅヅーッ

ELLES SONT RESTÉES LONGTEMPS À PARLER SEULES TOUTES LES DEUX...

...MAIS J'IGNORE CE QUI S'EST DIT ENSUITE ENTRE LA PRINCESSE ET SON ALTESSE KUSHANA.

KURO-TOWA !

C'EST DE LA FOLIE !

C'EST MOI QUI EN AI FAIT LA DEMANDE.

JE COMPRENDS... C'EST À CAUSE DE CETTE PIERRE SECRÈTE QUE CES MISÉRABLES...

VOUS FAIRE POURSUIVRE LA CAMPAGNE À VOUS SEULE PAR CONSCRIPTION ? MAIS, QUE SIGNIFIE...?!

DANS CES CONDITIONS, C'EST UNE VÉRITABLE PRISE D'OTAGE !

LES AUTRES CHEFS DE CLAN ONT REÇU AUTORISATION DE S'EN RETOURNER CHEZ EUX ! C'EN EST FINI DE TOUTE CETTE OPÉRATION DE PROGRESSION VERS LE SUD !

QU'IL EST PEUT-ÊTRE MORT À L'HEURE QU'IL EST...

QU'IL EST RESTÉ À BORD DU VAISSEAU DORK POUR ME PERMETTRE DE M'ENFUIR...

QUE JE L'AVAIS RENDUE À SON LÉGITIME PROPRIÉTAIRE...

JE LUI AI TOUT DIT, POUR LA PIERRE.

NON PARCE QUE J'EN AI REÇU L'ORDRE, MAIS PARCE QU'IL Y A DES CHOSES QUE JE DOIS DÉCOUVRIR SUR PLACE.

...MAIS IL FAUT ABSOLUMENT QUE J'AILLE DANS LE SUD !

SI JE LE POUVAIS, JE PARTIRAIS SUR-LE-CHAMP À LA RECHERCHE DE CE VAISSEAU DORK POUR SAVOIR S'IL EST SAIN ET SAUF...

JE NE SAIS PAS CE QUI SE PRÉPARE, MAIS JE SAIS QUE QUELQUE CHOSE DE TERRIBLE, QUELQUE PART LÀ-BAS, A DÉJÀ COMMENCÉ. CECI N'EN EST QUE LE PREMIER SIGNE ANNONCIATEUR.

COMMENT CROYEZ-VOUS QUE LES DORKS ONT PU RÉUSSIR À CAPTURER UN JEUNE ÔMU ? À MA CONNAISSANCE, CAPTURER UN ÔMU AYANT ATTEINT SA DOUZIÈME MUE EST LITTÉRALEMENT IMPOSSIBLE ! TENTER UNE CHOSE PAREILLE À L'INTÉRIEUR DE LA FORÊT SIGNIFIERAIT UNE MORT IMMÉDIATE, MÊME POUR MOI !

L'EMPEREUR DORK A ORDONNÉ LA PRISE DES TERRITOIRES DE LA PÉRIPHÉRIE. C'EST MAINTENANT QUE LA VALLÉE A BESOIN DU GUNSHIP !

JE LAISSE LA VALLÉE DANS UN MOMENT CRITIQUE, MAIS JE PENSE QUE MON PÈRE ME COMPRENDRA, LORSQU'IL SAURA QUE C'EST PAR CRAINTE DU GRAND RAZ DE MARÉE...

JE VEUX QUE VOUS RETOURNIEZ À LA VALLÉE. PRÉVENEZ MON PÈRE ET MAÎTRE YUPA QUE LES ÔMUS SE METTENT EN MOUVEMENT À TRAVERS TOUTE LA FORÊT, ET QUE JE DOIS EN ÉLUCIDER LES RAISONS...

LES ÔMUS PERÇOIVENT L'APPROCHE DE CETTE CHOSE. LE PRESSENTIMENT DE CARNAGES LES FAISAIT FRISSONNER, ET J'AI EU BEAU LES INTERROGER, ILS M'ONT FERMÉ LEUR ESPRIT... COMME SI CELA NE POUVAIT CONDUIRE LA SITUATION QU'À EMPIRER !

DANS CE CAS, PRENEZ AU MOINS LE GUNSHIP !

EUH...

LE GRAND RAZ ?...

JE VOIS... ELLE A PARLÉ DU GRAND RAZ DE MARÉE...

TSS... DE NOS JOURS, LES JEUNES GENS IGNORENT BIEN DES CHOSES...

FAITES VENIR LA GRANDE ANCIENNE. IL FAUT QUE TOUS SACHENT...

OUI, EN NOUS CHARGEANT DE VOUS TRANSMETTRE SES PAROLES...

VOYEZ-VOUS ÇA... NAUSICAÄ, MOI QUI LA CROYAIS ENCORE AU BERCEAU...

J'EN AVAIS ENTENDU PARLER, MAIS JE NE SAVAIS PAS QU'ELLE ÉTAIT ENCORE EN VIE...

À PLUS DE CENT ANS D'ÂGE, C'EST LA DOYENNE DE LA PÉRIPHÉRIE.

LE DERNIER GRAND RAZ DE MARÉE S'EST PRODUIT IL Y A TROIS CENTS ANS. À CETTE ÉPOQUE, TOUS LES CLANS DE LA PÉRIPHÉRIE FORMAIENT UN UNIQUE ET GRAND ROYAUME, CHANTÉ SOUS LE NOM D'EFTAR... IL EST DIT QU'EN CE TEMPS LA MER DE LA DÉCOMPOSITION ÉTAIT ENCORE CONFINÉE AU LOINTAIN, AU CŒUR DU CONTINENT, ET LE DÉSERT PARSEMÉ D'OASIS BRILLANT COMME AUTANT D'ÉTOILES DANS LE CIEL...

AINSI QUE LE MENTIONNENT LES "ANNALES", LE GRAND RAZ DE MARÉE EST UN MOMENT OÙ LA MER DE LA DÉCOMPOSITION ENTRE BRUSQUEMENT EN ÉBULLITION, JAILLIT EN UNE ÉNORME VAGUE ET SE RÉPAND HORS DE LA FORÊT. IL EST ÉCRIT QUE CELA S'EST PRODUIT À TROIS REPRISES DEPUIS LES "SEPT JOURS DE FEU"...

DANS LES CITÉS D'EFTAR SE TROUVAIENT SOIGNEUSEMENT PRÉSERVÉES LES MIRACULEUSES TECHNIQUES PRÉCIPITÉES DANS L'OUBLI AU COURS DES "SEPT JOURS DE FEU" ; DANS LEURS ATELIERS S'AFFAIRAIENT DES OUVRIERS DE GÉNIE, ET ON Y CONSTRUISAIT DES VAISSEAUX GÉANTS COMME IL N'EN EST PLUS, PARCOURANT LES CIEUX EN TOUS SENS POUR MENER COMMERCE...

LES COMBATTANTS RÉCLAMAIENT À QUI MIEUX MIEUX DES ARMES EN CARAPACE D'ÔMU, ET LES MARCHANDS D'ARMES SE MIRENT À SILLONNER LA MER DE LA DÉCOMPOSITION À LA RECHERCHE DE MUES...

MAIS PETIT À PETIT, DES OMBRES COMMENCÈRENT À COUVRIR LA PAIX D'EFTAR. LES CONFLITS ENGENDRÉS PAR LA SUCCESSION ROYALE S'ÉTENDIRENT À L'ENSEMBLE DU TERRITOIRE, POUR S'ENFONCER DANS LE BOURBIER D'UNE GUERRE CIVILE.

CETTE MÉTHODE NE NOUS EST PAS PARVENUE, MAIS UN NOMBRE CONSIDÉRABLE D'ÔMUS FURENT MASSACRÉS.

ON DIT QUE LES MAÎTRES-VERS QUI, AUJOURD'HUI ENCORE, ERRENT À TRAVERS LA MER DE LA DÉCOMPOSITION, SERAIENT LES DESCENDANTS MAUDITS DE CES MARCHANDS D'ARMES QUI D'EUX-MÊMES ANÉANTIRENT LEUR PAYS...

SOUS L'EMPRISE DE L'AVIDITÉ, NUL NE SE SOUCIA DE LA NATURE PROFONDE DE LA FORÊT, ET BIENTÔT LES MARCHANDS D'ARMES MIRENT AU POINT UNE TECHNIQUE DE CHASSE À L'ÔMU ORGANISÉE.

LA FORÊT FUT
PARCOURUE D'UNE
COLÈRE QUI FINIT
PAR LA DÉBORDER :
PRIS D'UNE RAGE
FOLLE, LES ŌMUS,
INNOMBRABLES,
LANCÈRENT UNE
CHARGE...

CE FUT
UNE VÉRITABLE
MARÉE D'INSECTES,
RÉPANDANT SUR
LEUR PASSAGE
COMME UNE NUÉE
DE SPORES...

PENDANT VINGT
JOURS, LE TERRITOIRE
D'EFTAR TOUT ENTIER
FUT RECOUVERT PAR CE
GRAND RAZ DE MARÉE,
ET LA COLÈRE DES
ŌMUS NE RETOMBA QUE
LORSQU'ILS DISPARURENT
EUX-MÊMES, MORTS DE
FAIM. ILS SONT MORTS
APRÈS AVOIR PARCOURU
JUSQU'À DEUX MILLE
LIGUES HORS DE LA
FORÊT...

TOUS LES EFFORTS
POUR LES ARRÊTER
DANS LEUR COURSE
S'AVÉRÈRENT VAINS ; LES
CITÉS FURENT ENGLOUTIES
LES UNES APRÈS LES
AUTRES PAR LA GRANDE
VAGUE DES ŌMUS, LEURS
HABITANTS PÉRIRENT, LA
ROYAUTÉ FUT ANÉANTIE,
ET LES TECHNIQUES
PRODIGIEUSES PERDUES
À TOUT JAMAIS...

SE DÉPOSANT EN CULTURE
SUR LEURS CORPS FIGÉS, LES
SPORES, ÉTENDANT LEURS TISSUS
BACTÉRIENS PROFONDÉMENT DANS
LE SOL EN QUÊTE D'UNE EAU
SOUTERRAINE, FLEURIRENT D'UN
SEUL MOUVEMENT. UNE NOIRE FORÊT
SE RÉPANDIT D'UN CORPS À L'AUTRE,
ET LE DÉSERT SE MÉTAMORPHOSA
PROGRESSIVEMENT EN UNE VASTE
MER DE DÉCOMPOSITION...

UNE POPULATION FORMÉE DE LA POIGNÉE DE RARES SURVIVANTS CONTINUA À VIVRE AUX ABORDS DE LA MER DE LA DÉCOMPOSITION... PRIVÉS DÉFINITIVEMENT DE TOUT NOUVEAU SOUVERAIN, ILS TOMBÈRENT SOUS LA COUPE DES TOLMÈQUES QUI ANNEXÈRENT LEUR TERRITOIRE...

HI HI HI... QUE D'ENTRAIN ! QU'IMPORTE DONC QUE LE MONDE COURRE À SA PERTE RECOUVERT PAR LA MER DE LA DÉCOMPOSITION, AUSSI LONGTEMPS QUE NOUS AUTRES AVONS LA VIE SAUVE, C'EST BIEN ÇA ?

LES INSECTES DESCENDENT VERS LE SUD ! QUE LES DORKS ET L'ENVAHISSEUR TOLMÈQUE SOIENT ENGLOUTIS SUR LEUR PASSAGE, ET BON DÉBARRAS !

EXCELLENT ! CE RAZ DE MARÉE M'A L'AIR D'AVOIR DES BONS CÔTÉS !

APRÈS LA DESTRUCTION DES TROUPES DE KUSHANA, IL N'Y A PLUS DANS CE PAYS LA MOINDRE FORCE MILITAIRE TOLMÈQUE. MÊME EN CAS DE DÉBARQUEMENT DORK, L'EMPEREUR VU NE FERA RIEN POUR NOUS AIDER !

NOUS NE SAVONS ENCORE RIEN DE LA VÉRACITÉ DE CETTE HISTOIRE ! CE QU'ON SAIT POUR L'INSTANT, C'EST QUE LES DORKS CONVOITENT NOS TERRES !

PEUPLE DE LA VALLÉE DU VENT ! RASSEMBLONS À NOUVEAU TOUS LES CLANS DE LA PÉRIPHÉRIE SOUS LA BANNIÈRE D'EFTAR ! UNISSONS-NOUS POUR FAIRE FACE AUX DORKS !

AU CONTRAIRE, JE SUIS SÛR QUE D'ICI À UN MOIS, UN NOUVEL ORDRE DE MOBILISATION VA NOUS ARRIVER SOUS PRÉTEXTE D'ALLIANCE ! LE TEMPS EST VENU DE REJETER CETTE VIEILLE ALLIANCE !

NE VOUS EN FAITES PAS... POUR NAUSICAÄ...

...MAIS COMPRENDS-NOUS, JILL... NOUS NE POUVONS PAS RESTER PLANTÉS LÀ À ATTENDRE LE DÉSASTRE...

GRÂCE À NAUSICAÄ, NOUS AVONS PU ÉCHAPPER À L'ANÉANTISSE-MENT. NOUS LUI EN SOMMES RECONNAIS-SANTS...

QUAND LES TOLMÈQUES SAURONT QUE NOUS AVONS ROMPU L'ALLIANCE, ILS VONT LA TUER !

MAIS... ET LA PRINCESSE... QU'ADVIENDRA-T-IL D'ELLE ?

POURQUOI PAS ?! CE SERAIT UN RENFORT DÉCISIF POUR NOTRE ALLIANCE !

NOUS NOUS JOIGNONS À VOTRE ALLIANCE... MAIS JE NE PEUX PAS VOUS CONFIER LE GUNSHIP...

NAUSICAÄ EN AURA BESOIN POUR ACCOMPLIR SON DEVOIR.

JE SUIS LÀ, SIRE.

MITO...

JEUNE INCONS-CIENTE...

TU VOUDRAIS DONC...

RETROUVE YUPA... NAUSICAÄ AURA BESOIN DE SON AIDE...

TRÈS BIEN !

...SAUVER LE MONDE... À TOI SEULE ?... NAUSICAÄ...

...MHM...

GRANDE ANCIENNE !

ユラリ

TU AS ÉTÉ UN CHEF REMAR-QUABLE...

TU AS RÉSISTÉ SANS FAIBLIR À CETTE SI LONGUE SOUFFRAN-CE...

SIRE, JILL EST MORT !

...J'AI UN MESSAGE POUR VOUS DE LA PART DE LA PRINCESSE...

LES ENFANTS...

QUEL MALHEUR... POUR LA PRINCESSE !

ELLE VOULAIT VOUS DIRE QUE LES BAIES DE CHIKO QUE VOUS AVEZ CUEILLIES POUR ELLE LUI SONT D'UN GRAND SECOURS... QU'ELLE VOUS EN REMERCIE...

OUI, VRAIMENT... ELLE A MÛRI DE FAÇON SI SOUDAINE, ET EN UN TEMPS DE CAMPAGNE SI COURT...

NOTRE PRINCESSE EST QUELQU'UN DE TRÈS FORT... DE BIEN PLUS FORT QUE MOI, ASSURÉMENT !

ALLONS, ÇA VA ALLER, LÀ, LÀ...

...

ELLE EST DE CEUX DONT LE REGARD EST FIXÉ SUR LE LOINTAIN...

...PUIS-JE ENTRER ?

OUI...

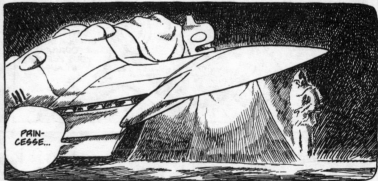

PRIN-CESSE...

QUEL EST CE BANDAGE ?

JE NE PEUX PAS VOUS LAISSER PARTIR EN PAREILLE TENUE... J'AI RASSEMBLÉ QUELQUES VÊTEMENTS.

JE TE REMER-CIE...

TU ES ENCORE DEBOUT ? QU'Y A-T-IL ?

RIEN DE GRAVE. ÇA VA.

OH, ÇA...

...AVEC UN MORCEAU DE SA CHEMISE...

C'EST ASBEL QUI ME L'A FAIT...

QU'Y A-T-IL ? TON VISAGE EST SI GRAVE...

...PARDONNEZ MON IMPERTINENCE... MAIS JE CROIS VOUS VOIR INFINIMENT PLUS ÉMUE DU SORT DES ÔMUS QUE DE CELUI DES HUMAINS...

MAIS JE NE PEUX M'EMPÊCHER D'ÊTRE INQUIET... VOUS ÊTES TROP GÉNÉREUSE, ET CETTE TROP GRANDE BONTÉ NE POURRA QUE VOUS PERDRE... ET AUSSI...

JE SAIS BIEN QU'IL EST INUTILE DE TENTER DE VOUS DISSUADER...

MOI, DE LA VALLÉE DU VENT, JE VAIS EMBARQUER SUR UN VAISSEAU TOLMÈQUE, EN PORTANT CE VÊTEMENT DORK TEINT PAR LES ÔMUS...

JE NE SUIS QU'UN VIEUX FOU QUI NE COMPRENDS PAS GRAND-CHOSE... MAIS À VOUS VOIR VOUS ÉLOIGNER PEU À PEU DU CÔTÉ DES INSECTES... JE NE...

NOUS AVONS POURTANT UNE ANCIENNE MAXIME QUI DIT : "GARDE-TOI D'ÉPIER L'ESPRIT DES ÔMUS"... SOUS PEINE DE NE PLUS POUVOIR EN REVENIR...

IL EST MACULÉ DE SANG D'ÔMU, QUI LE REND SI BLEU, MAIS IL NE DÉGAGE PAS LA MOINDRE MAUVAISE ODEUR.

J'EN AI UN PEU MODIFIÉ LA CONFECTION POUR EN FAIRE MA COMBINAISON DE VOL...

REGARDE CE VÊTEMENT... C'EST UNE VIEILLE FEMME DORK QUI M'A DONNÉ, À MOI, CE SOUVENIR DE SA FILLE...

J'AIME LES ÔMUS... À MES YEUX, ILS SONT LES ÊTRES VIVANTS LES PLUS GRANDS ET LES PLUS NOBLES AU MONDE.

VEUX-TU REFAIRE LE BANDAGE ?

...BIEN SÛR !

J'ENTENDS SANS CESSE UNE VOIX, AU FOND DE MON CŒUR, QUI ME DIT D'ALLER DE L'AVANT... C'EST LA RAISON POUR LAQUELLE JE VEUX ESSAYER D'AVANCER AUTANT QUE JE LE POURRAI, ET VOILÀ TOUT...

MAINTENANT... J'EN SUIS LA PREMIÈRE ÉTONNÉE, MAIS JE N'AI PLUS PEUR DU TOUT.

MAIS J'AIME DE LA MÊME FAÇON CEUX DE LA VALLÉE. JE NE LES AI PAS OUBLIÉS. PAS PLUS QUE CELUI QUI M'A FAIT CE BANDAGE...

QUITTER LA VALLÉE A ÉTÉ UN MOMENT TRÈS DIFFICILE... J'AVAIS PEUR...

JE VOUS AI PRÉPARÉ CES BALLES SIFFLANTES À MA FAÇON. J'EN RÉPONDS ! ELLES PRODUISENT UN SON IMPRESSIONNANT !

J'AI RÉPARÉ LA DIRECTION DU MŒVE, IL VOLE DÉSORMAIS COMME AVANT !

J'AI CONFECTIONNÉ CES JAMBIÈRES AVEC NOS PANTALONS, C'EST POUR VOUS !

MERCI... MERCI À TOUS !

ILS SONT UN PEU SALES, MAIS J'AI RETOUCHÉ CES GANTS POUR QU'ILS VOUS AILLENT. PRENEZ-LES !

ÇA VA SANS DOUTE TE PARAÎTRE FOU, MAIS JE NE ME SENS ABSOLUMENT PAS SEULE, COMME SI VOUS ÉTIEZ TOUS LÀ POUR VEILLER SUR MOI...

J'AI ASSEMBLÉ ÇA AVEC LES CHUTES PROVENANT DES BAS. J'Y AJOUTERAI LES VISIÈRES PLUS TARD.

PRINCESSE !

...

KAI, JE COMPTE SUR TOI.

ヒイイイイン

ADIEU, PORTEZ-VOUS BIEN !

ヒイイイ----ン

MERCI... À TOUS !...

...POUR TOUT CE QUE VOUS AVEZ FAIT JUSQU'À CE JOUR...

ヴォロロロ

JE VOUS AMÈNERAI MAÎTRE YUPA, QUOI QU'IL ARRIVE ! PUISSIEZ-VOUS RESTER SAINE ET SAUVE JUSQUE-LÀ...

REPRENEZ DONC COURAGE, ET DÉFENDEZ LA VALLÉE...

D'ACCORD ? À PLEURNICHER AINSI, VOUS NE FEREZ QUE DÉCEVOIR LA PRINCESSE !

RIVAGE DE LA MER DE SEL, 200 LIGUES À L'EST-NORD-EST DE LA VALLÉE DU VENT.

À CETTE ÉPOQUE, LES HOMMES AVAIENT PERDU JUSQU'AUX BIENFAITS DE LA MER, CAR CELLE-CI ÉTAIT DEVENUE LA DESTINATION FINALE DE TOUS LES POISONS ET POLLUTIONS RÉPANDUS À TRAVERS LA PLANÈTE TOUT ENTIÈRE...

NUL NE SAVAIT PLUS GUÈRE QUE CE GIGANTESQUE BÂTIMENT DE CÉRAMIQUE, BIEN AVANT LES SEPT JOURS DE FEU, AVAIT ÉTÉ UN VAISSEAU UTILISÉ POUR VOYAGER VERS LES ÉTOILES...

DEPUIS PLUSIEURS GÉNÉRATIONS DÉJÀ, LE VAISSEAU FAISAIT VIVRE UNE PETITE VILLE MINIÈRE...

C'ÉTAIT DÉSORMAIS DEVENU UNE MINE DU MATÉRIAU DE HAUTE RÉSISTANCE QU'EST LA CÉRAMIQUE, ET COMME TEL L'OBJET D'UN DÉMANTÈLEMENT PROGRESSIF.

CETTE VILLE, RATTACHÉE À LA CITÉ ARTISANALE DE SEM, RÉSONNAIT TOUT ENTIÈRE DE RUMEURS ET D'UNE ACTIVITÉ RÉSULTANT DU CONTEXTE DE GUERRE TOLMÈQUE.

OUI... APPELLE-MOI LE PATRON, AUSSI.

VOUS VOULEZ DÉJEUNER, CHEVALIER ?

ÇA FERA CINQ RUMII, S'IL VOUS PLAÎT.

LES CONVOIS EN DIRECTION DE L'EMPIRE TOLMÈQUE SONT SI NOMBREUX QUE PERSONNE N'A DE RAISON DE VOULOIR ENTRER DANS LA FORÊT !

UN VAISSEAU POUR LA MER DE LA DÉCOMPOSITION ? PAS FACILE, DE NOS JOURS...

TENANCIER, ET CET APPAREIL, LÀ-BAS ?

HÉ LÀ, ATTENDS ! CETTE PIERRE DOIT AUSSI PAYER LE REPAS !

ELLE EST MAGNI-FIQUE !

OHH ! C'EST UNE PIERRE DE LA RIVIÈRE TALIA ! C'EST POUR MOI, VRAIMENT ?!

AAH, CELUI-LÀ... POUR SÛR, IL DOIT ALLER DANS LA FORÊT, MAIS CE N'EST PAS LE GENRE DE VAISSEAU À BORD DUQUEL VOYAGER !

C'EST BIEN CELUI QUI, AUTREFOIS, RELIAIT LES VILLAGES DE CHERCHEURS DE PIERRES PRÉCIEUSES...

DÉGUER-PISSEZ ! C'EST UNE ENSEIGNE HONORABLE, ICI !

À... À BOIRE ! NOUS AVONS DE QUOI PAYER !

QUE VIENNENT FAIRE DES MAÎTRES-VERS PAR ICI...

VEUILLEZ NOUS EXCUSER POUR LE DÉRANGEMENT ! JE VOUS EN PRIE, RASSEYEZ-VOUS !

J'AI DE QUOI PAYER !

PAS UN PAS DE PLUS À L'INTÉRIEUR ! ATTENDEZ DEHORS !

QUELLE HORRIBLE ODEUR ! N'APPROCHE PAS !

EHA, DÉPÊCHE-TOI DE SERVIR UNE TOURNÉE D'ORDINAIRE !

?!... DES PIÈCES DE MONNAIE IMPÉRIALE DORK !

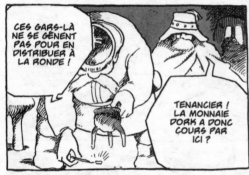

CES GARS-LÀ NE SE GÊNENT PAS POUR EN DISTRIBUER À LA RONDE !

TENANCIER ! LA MONNAIE DORK A DONC COURS PAR ICI ?

HE HE HE, JE VOUS EN PRIE, FINISSEZ TRANQUILLEMENT VOTRE REPAS...

HUMPF !...

JE VAIS LE LEUR PORTER. J'AI DES QUESTIONS À LEUR POSER DE TOUTE FAÇON...

OH, COMME C'EST GENTIL !

TU N'AS QU'À DÉPOSER ÇA DEHORS !

OUI, MAIS...

LA QUALITÉ DE L'OR EST SUPÉRIEURE À CELUI DES TOLMÈQUES, MAIS REGARDEZ DANS QUEL ÉTAT EST CELUI-CI...

PAPA, JE NE VEUX PAS Y ALLER, J'AI PEUR...

C'EST BIEN ASSEZ POUR EUX ET LEURS PAREILS ! OOH, ET PUIS FAITES COMME VOUS VOULEZ !

POUR UNE SOMME PAREILLE, AUSSI PEU D'ALCOOL, C'EST TROP CHER. JE LEUR PRENDS AUSSI CETTE VIANDE SÉCHÉE.

LES MAÎTRES-VERS SONT DES HOMMES, EUX AUSSI. TANT DE MÉPRIS NE SAURAIT MENER À RIEN DE BON.

MERCI, CHEVALIER !

ARGH !

!

VERMINE !

PEUX-TU PRENDRE SOIN DE MA MONTURE QUELQUE TEMPS ?

D... D'ACCORD.

CE VAISSEAU EST LE VÔTRE, N'EST-CE PAS ? VOUS VOUS RENDEZ DANS LA MER DE LA DÉCOMPOSITION ?

OH ?!... VOUS ÊTES VENU EXPRÈS POUR NOUS APPORTER ÇA ?

VOTRE CAPITAINE N'EST PAS LÀ ? JE CHERCHE UN TRANSPORT JUSQU'AU CŒUR DE LA FORÊT...

AVOIR UN VAISSEAU, C'ÉTAIT MON RÊVE DEPUIS LONGTEMPS...

ON RETOURNE AUX VILLAGES DANS LA FORÊT. C'EST BIEN D'AVOIR UN VAISSEAU... ON PEUT VENIR EN VILLE ET MANGER DES BONNES CHOSES !

ON NE VOUDRAIT PAS AVOIR À VOUS TUER. PARTEZ !

VOUS N'AVEZ RIEN VU, HEIN ?

NON.

TANT MIEUX ! VOUS ÊTES UN HOMME BON...

ARRÊTEZ-VOUS !

EMBAR-
QUEZ,
ET EN
VITESSE !

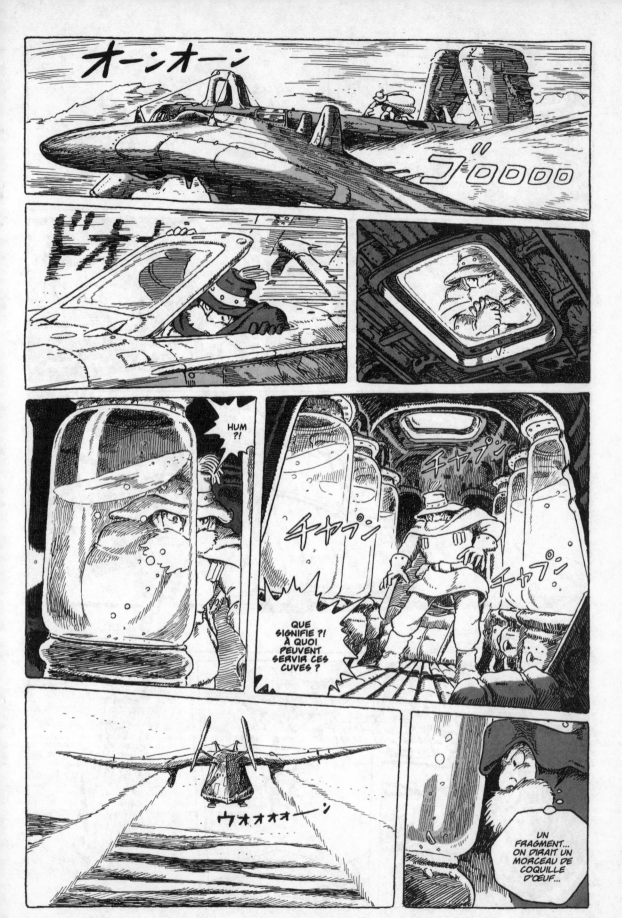

IL EST DES NÔTRES ! RÉPONDEZ À SON SIGNAL !

!!

CE SONT CEUX QUI ÉTAIENT AUX LACS ACIDES...

ILS VEULENT QU'ON LES GUIDE... ILS ONT L'INTENTION D'ATTERRIR AU VILLAGE.

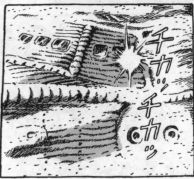

MON JEUNE FRÈRE S'ÉTAIT FAIT RECRUTER DANS LEURS COMMANDOS... IL DOIT ÊTRE MORT, À L'HEURE QU'IL EST...

HÉ HÉ HÉ... CEUX QUI LES ONT RALLIÉES ONT TIRÉ LE MAUVAIS NUMÉRO... ILS SONT TOUS MORTS !

IL PARAÎT QUE LES TROUPES DE KUSHANA ONT ÉTÉ RÉDUITES À NÉANT...

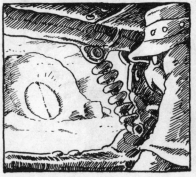

D'ABORD CES CUVES, ET DES DORKS QUI ONT LEURS ENTRÉES DANS UN VILLAGE DE MAÎTRES-VERS, TOUT ÇA EST TRÈS BIZARRE... IL SE PASSE QUELQUE CHOSE.

LEUR SYSTÈME
D'ÉPURATION
DE L'AIR UTILISE
LES ÉMANATIONS
GAZEUSES
SOUTERRAINES...

NOUS N'AVONS RIEN DIT DE TEL !

LE CLAN DE MANI OSERAIT-IL S'OPPOSER AUX ORDRES DU SAINT EMPEREUR ?!

C'EST DE LA LANGUE DORK...

LE SORT DU CLAN DE VIDA N'EST JAMAIS QU'UNE ERREUR DUE AU MANQUE D'EXPÉRIENCE. IL S'AGIT DE PERTES QUE NOUS POURRONS ÉVITER DÈS QUE LA MÉTHODE SERA PLUS AU POINT.

CE QUE NOUS AFFIRMONS, C'EST QU'IL FAUT REPORTER CETTE CAMPAGNE, LE TEMPS POUR NOUS DE PRIER SA MAJESTÉ IMPÉRIALE DE LA RECONSI-DÉRER.

LES GUERRIERS DU CLAN DE VIDA SONT MORTS, EXTERMINÉS SANS EXCEPTION DANS LEUR PROPRE PIÈGE. SE SERVIR DES ÔMUS POUR FAIRE LA GUERRE EST UNE GRAVE ERREUR.

QUI PLUS EST, C'EST VOUS QUI, EN CESSANT DE VOUS-MÊMES LES POURSUITES, AVEZ LAISSÉ KUSHANA S'ÉCHAPPER SOUS VOS YEUX ! COMMENT DÉSIGNER CELA AUTREMENT QUE DU TERME DE TRAHISON ?!

QUANT À VOIR EN CES ÔMUS DES CRÉATURES SACRÉES, N'EST-CE PAS LÀ LA PREUVE QUE LE CLAN DE MANI N'A TOUJOURS PAS BALAYÉ LES ANTIQUES HÉRÉSIES ?

LES ÔMUS NE SONT APRÈS TOUT QUE DE VULGAIRES INSECTES, ET QUELS REGRETS ÉPROUVER POUR LA VIE D'INSECTES, QUAND IL S'AGIT D'ANÉANTIR LES TOLMÈQUES ET DE PROTÉGER NOTRE PAYS ?!

...

LE CLAN DE MANI VOUDRAIT-IL DÉFIER L'EMPEREUR ET L'ASSEMBLÉE DES BONZES ?!

L'ÉLEVER ?! NON, ÇA NE PEUT PAS ÊTRE...

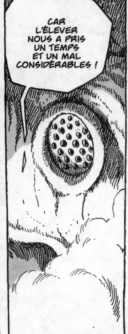

CAR L'ÉLEVER NOUS A PRIS UN TEMPS ET UN MAL CONSIDÉRABLES !

CESSEZ DONC DE VOUS DISPUTER ! L'ISSUE DE VOTRE GUERRE NE NOUS REGARDE ABSOLUMENT PAS.

VOTRE COMMANDE EST PRÊTE. VOUS EN AUREZ LIVRAISON DÈS VERSEMENT DU RÈGLEMENT.

MALÉDICTION !

TROUVEZ-LE ! C'EST PEUT-ÊTRE UN ENVOYÉ D'UN AUTRE VILLAGE !

QUELQU'UN S'EST INFILTRÉ DANS LES CONDUITS DE VENTILATION !

QUE LES FEMMES ET LES ENFANTS RESTENT DANS LEURS QUARTIERS !

BLOQUEZ LES ISSUES ! NE LE LAISSEZ PAS S'ENFUIR !

TSHI ! TSHI !
TSHI !

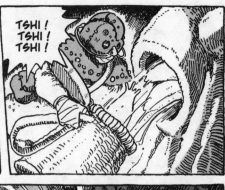

TSHI !
TSHI !
TSHI !

ENFER !

HUMPF
!

QU'EST-CE
QUE C'EST
QUE ÇA ?!

ILS
ÉLÈVENT
UN ÔMU !

PRENEZ-LE VIVANT ! C'EST PEUT-ÊTRE UN ESPION TOLMÈQUE !

(NE TIREZ PAS !) !!

NOUS NE POUVONS PAS TE LAISSER REGAGNER LA SURFACE APRÈS CE QUE TU AS DÉCOUVERT.

(SILENCE !) !!

QUELS COMPLOTS OURDISSEZ-VOUS DONC DANS CE REPÈRE, EN GRAISSANT LA PATTE DE MAÎTRES-VERS ?!

VOUS DEVEZ FAIRE PARTIE DE L'ASSEMBLÉE DES BONZES, LES CONSEILLERS DIRECTS DE L'EMPEREUR...

PLUS UN GESTE !

CE GARS-LÀ C'EST YUPA, LA FINE LAME LA PLUS REDOUTABLE DE LA MER DE LA DÉCOMPOSITION. IL VOUS EN COÛTERA CHER !

YUPA ?!

HAHA... SI ON NE PEUT PAS UTILISER NOS ARMES À FEU, IL FAUT D'ABORD DÉCIDER DE SON PRIX !

QU'EST-CE QUI VOUS PREND ? VOUS AVEZ PEUR ?! ATTRAPEZ-LE !

À L'ATTAQUE, VOUS AUTRES, ET VITE !

GRUMPF !... MAUDITES TÊTES DE MULES ASSOIFFÉES D'OR ! 150 !

HÉ HÉ... DISONS PLUTÔT 200...

GRR... VOUS AUREZ 100 GRAYNS !

ALLEZ ! ÉLIMINEZ YUPA, ET À NOUS GLOIRE ET FORTUNE !

D'ACCORD POUR 180 !

HIHIHI... ALLONS, IL N'A AUCUNE POSSIBILITÉ DE NOUS ÉCHAPPER. NOUS ALLONS L'ÉCRASER COMME UN INSECTE !

ATTENDEZ !

D'ACCORD ! VAS-Y !

GRAND PRÊTRE, LAISSEZ-MOI M'OCCUPER DE LUI !

VOUS NE VOUS TROUVEZ PAS UN PEU RIDICULES, À TANT CONTRE UN SEUL HOMME ?

UN GUERRIER DU CLAN DE MANI ?

ÉCARTEZ-VOUS ! ET PAS D'INTER-VENTION !

111

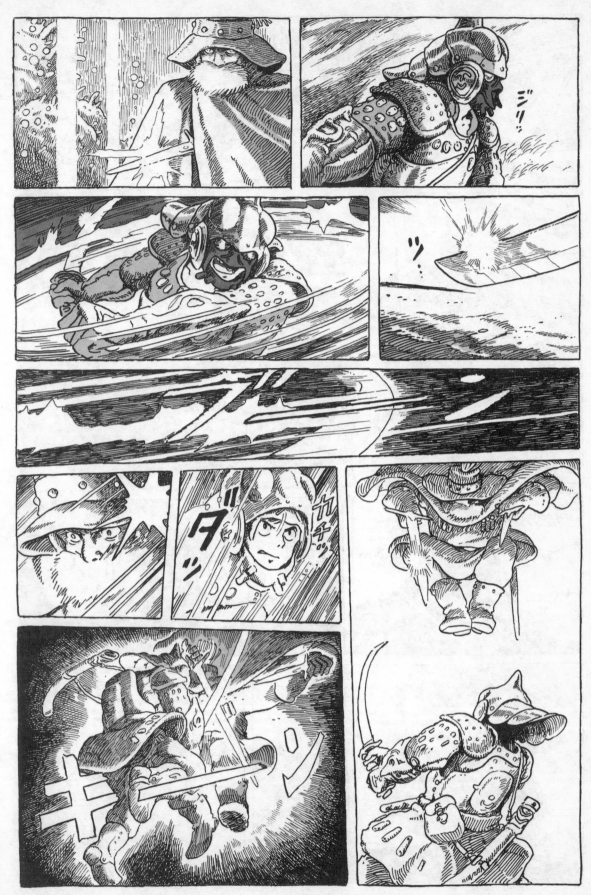

JE VEUX
VOUS AIDER !...

ASBEL DE
PEJITE !

QUI ES-
TU ?!

OH NON,
LA CUVE-
EPROUVETTE !

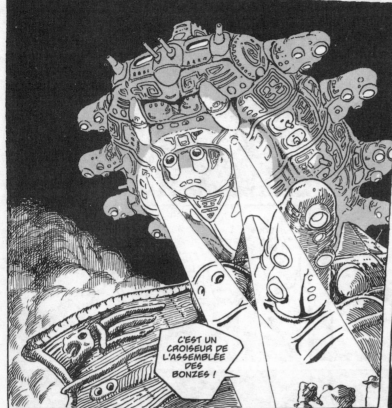

C'EST UN CROISEUR DE L'ASSEMBLÉE DES BONZES !

MALÉDICTION !

RENDEZ-VOUS ! TOUTE RÉSISTANCE SERA ANÉANTIE !

MAIS... C'EST UN MALENTENDU ! NOUS NE SONGERIONS JAMAIS À TRAHIR !

CERNÉS DE TOUTES PARTS...

JE VOUS AVAIS BIEN DIT QUE ÇA FINIRAIT MAL...

C'EST LA FIN ! ON VA TOUS ÊTRE TUÉS !

SILENCE, ET UN PEU DE RESPECT ! VOICI VENIR LE FRÈRE CADET DE SA MAJESTÉ L'EMPEREUR !

VOUS ÊTES VRAIMENT ARRIVÉ À POINT NOMMÉ !

VOTRE ALTESSE PRINCIÈRE, C'EST MOI QUI AI ENVOYÉ CE SIGNAL...

LE SIGNAL REÇU PARLAIT D'UNE TRAHISON DU CLAN DE MANI : EST-CE EXACT ?

QUEL EST DONC CE TUMULTE, AU MOMENT MÊME OÙ J'ARRIVE DE LA LOINTAINE VILLE SAINTE SUR CES TERRES BARBARES...

VOTRE ALTESSE PRINCIÈRE, NOUS IMPLORONS VOTRE PARDON ! LA CUVE-ÉPROUVETTE DE L'ÖMU...

TU ES FAIT ! NOUS AVONS PERCÉ TES PROJETS À JOUR, ET AGI LES PREMIERS !

COMMENT ?! C'EST VOTRE FAUTE, INCAPABLES QUE VOUS AVEZ ÉTÉ À LES MAÎTRISER EN TEMPS VOULU !

IL S'AGIT D'UNE PERTE CONSIDÉRA-BLE... MAIS VOUS ALLEZ BIEN RÉGLER VOTRE DÛ, J'ESPÈRE !

PEUH ! ET QUI DONC NOUS A INTERDIT D'UTILISER NOS ARMES À FEU ?

TRAHI-SON ! TRAHI-SON !

ILS NE CESSENT DE DÉFIER LES DÉCISIONS DE L'ASSEMBLÉE DES BONZES !

CES MISÉRABLES ONT DÉTRUIT LA CUVE-ÉPROUVETTE !

DES CHIENS À LA SOLDE DES TOL-MÈQUES !

OUAAH !

VOTRE ALTESSE PRINCIÈRE ! CE N'EST PAS NOTRE FAUTE !...

SORTEZ LA MON-NAIE !

BANDE D'INCA-PABLES AVEUGLÉS D'AVIDITÉ !

NOUS IMPLORONS VOTRE PARDON...

GARDE TON SANG-FROID, IL PEUT LIRE DANS LES ESPRITS.

DE LA TÉLÉKI-NÉSIE !

DU CALME.

TOUT EN AFFRONTANT LE PRINCE IMPÉRIAL, IL S'ADRESSE AUSSI À VOUS TOUS ET PARLE À VOTRE ESPRIT.

CALME-TOI... ET PRÊTE DONC PLUTÔT L'OREILLE AUX PAROLES DU VÉNÉRABLE.

QUELLE INCONSCIENCE DE LA PART DU VÉNÉRABLE ! IL SAIT POURTANT BIEN QUE S'OPPOSER AU PRINCE, C'EST S'EXPOSER À SE FAIRE TAILLER EN PIÈCES...

C'EST DU LANGAGE SACRÉ. JE N'Y COMPRENDS RIEN...

ET L'ARROGANCE DE L'EMPEREUR, QUI SACRIFIE SANS VERGOGNE À SON AVIDITÉ ET SA TRANQUILLITÉ LA FIDÉLITÉ DES CLANS...

TAIS-TOI ! TAIS-TOI !

L'IMPUDENCE DE L'ASSEMBLÉE DES BONZES QUI, DE LEURS MAINS IMPURES, ONT VOULU JOUER AVEC LA VIE ET LA METTRE AU SERVICE DE LEUR GUERRE !

SILEN-CE !

FOLIE QUE DE NE POUVOIR RENONCER À LA GUERRE ALORS QUE NOTRE EXISTENCE MÊME, VICTIME DE LA FORÊT DE LA DÉCOMPOSITION, EST SUR LE POINT DE PRENDRE FIN...

NE VOYEZ-VOUS PAS QU'EN RÉVEILLANT LES VOIES DÉMONIAQUES, VOUS APPELEZ SUR NOUS LE GRAND RAZ DE MARÉE ?

N'ENTENDEZ-VOUS DONC PAS LA COLÈRE DE LA TERRE GRONDER EN UN MUGISSEMENT MARIN ?

IL S'AGIT DE LA PROPHÉTIE HÉRÉTIQUE QUI AVAIT COURS AUTREFOIS PARMI LES INDIGÈNES, AU TEMPS LOINTAIN OÙ MES ANCÊTRES IMPÉRIAUX SONT DESCENDUS SUR LES TERRES DORK !

LE GRAND RAZ DE MARÉE... JE COMPRENDS TOUT. TEL EST DONC LE FOND DE TA PENSÉE !

PEUH ! ENFANTILLAGES QUE DE TELLES ATTAQUES !

(HÉRÉTIQUE !)
!!!

ÉCOUTEZ-MOI, GENS DE MANI, MON PEUPLE !

...MAIS NE PERDEZ PAS COURAGE. RÉSISTEZ À L'ADVERSITÉ ! MÊME DANS L'AFFRONT, ENFANTEZ ET ÉLEVEZ VOS ENFANTS !

APRÈS AVOIR PERDU VOTRE TERRE NATALE ET VU MASSACRER NOMBRE DES VÔTRES, VOUS ALLEZ ÊTRE CONTRAINTS DE POURSUIVRE VOTRE ERRANCE AU GRÉ D'UN POUVOIR ARBITRAIRE...

NUL DOUTE QUE VOUS AUREZ DORÉNAVANT À VIVRE ENCORE PLUS DANS L'ÉPREUVE...

KIIH...

TOI AUSSI, TETO ? ALLONS, CESSEZ DONC DE VOUS AGITER...

オオオオオオー

MMH ?

QU'Y A-T-IL, KAI ?

LAISSEZ-MOI DORMIR UN PEU...

RIEN À SIGNALER ?!... QU'EST-CE QUE TU FAIS LÀ, TOI ?

ウオオオオーーーン

L'AUBE APPROCHE...

QUI EST-CE DONC, QUI M'APPELLE ?

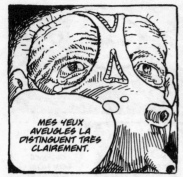

MES YEUX AVEUGLES LA DISTINGUENT TRÈS CLAIREMENT.

LES ANCIENNES PRÉDICTIONS DISAIENT VRAI... L'ÉLUE QUI VOUS GUIDERA VERS DES TERRES PURES DE VERDEUR EST APPARUE! ELLE EST ÉPRISE DES ARBRES, PARLE AUX INSECTES ET APPELLE LE VENT, TEL UN OISEAU...

"ET L'ÉLU, VÊTU DE BLEU, VIENDRA À VOUS, DESCENDANT UN CHAMP D'OR"...

?!...

LE MOMENT VENU, ELLE APPARAÎTRA AUX YEUX DE TOUS.

JE NE PEUX ENCORE RÉVÉLER SON NOM.

"...POUR RENOUER LE LIEN À LA TERRE QUE NOUS AVONS PERDU"

ADIEU ?... MAIS POURQUOI ?!

VÉNÉRABLE !

VOUS AUREZ BEAU ESSAYER DE ME FAIRE PARLER, CE SERA PEINE PERDUE !

VÉNÉ-RABLE !

DIS-MOI SON NOM ! QUE L'ON VÉRIFIE LA VÉRACITÉ DE TES DIRES.

VOUS N'HÉSITERIEZ PAS À LA TORTURER JUSQU'À LA MORT SOUS COUVERT D'INQUISITION !

CROYEZ-VOUS VRAIMENT QUE JE VAIS VOUS LE DIRE ?

PARTEZ, MES AMIS !

ADIEU !

VÉNÉ-RABLE !

ズキーン

...?! EH, MAIS QU'EST-CE QUI T'ARRIVE ?

オオオオオオ

TU NE DOIS PAS VENIR ICI !

VÉNÉRABLE, ATTENDEZ-MOI ! J'ARRIVE !

フゥッ

ドゥ

IL NE FAUT PAS QUE TU VIENNES...

LÂCHE-MOI ! LE VÉNÉRABLE...

TU SAIS PILOTER CET ENGIN ?!

À PRIORI !

LÂCHE-MOI !!

QUELLE ANTIQUITÉ ! ET EN PLUS, IL FAUT LE FAIRE DÉMARRER À LA MAIN !

OUAH !

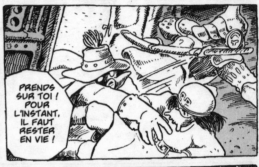

PRENDS SUR TOI ! POUR L'INSTANT, IL FAUT RESTER EN VIE !

LE MOTEUR TOURNE !

ドウオオオオオオ

グワワワワ

MAUDIT !...

ON DÉCOLLE !

FEU DE TOUTES PIÈCES !

LES IMBÉCILES ! ILS ONT RÉUSSI À PRENDRE L'AIR. ABATTONS-LES AU CANON !

S'AGIRAIT-IL DE CET ÉLU VÊTU DE BLEU DONT IL PARLAIT ?...

...QUELQU'UN APPROCHE...

OH NON, LA LUEUR S'ÉTEINT...

VÉNÉRABLE...

QUELQU'UN EST LÀ QUI M'OBSERVE...

...JE RESSENS SA CHALEUR...

...VIENS.

...

...JE SUIS EN DANGER...

ALLONS... VIENS DONC PAR ICI...

HAHA...
JE L'AI LAISSÉE
S'ÉCHAPPER ALORS
QUE J'ÉTAIS SUR
LE POINT DE LA
CAPTURER...

QUE SE
PASSE-
T-IL ?

UNGH...

C'EST SA
FAUTE À LUI !
LE MISÉRABLE !
TOUT MOURANT
.QU'IL EST,
IL S'EST
INTERPOSÉ !

MAJESTÉ
?!

OUI, ÇA VA, MAIS L'APPAREIL EST TRÈS ENDOMMAGÉ...

TOUT LE MONDE VA BIEN ?!

NOUS VOILÀ HORS DU CRATÈRE ! NOUS SOMMES HORS DE LEUR CHAMP DE TIR !

AUCUNE CHANCE POUR QU'ILS NOUS LAISSENT NOUS ÉCHAPPER DE LA SORTE !

ボロロロロ

SI ON NE POUSSE PAS PLUS SUR LA VITESSE... VOUS CROYEZ QU'ILS VONT SE LANCER À NOS TROUSSES ?

A-T-ON UNE CHANCE D'ATTEIN-DRE LA CITÉ DE QESE ?

HAA... HAA...

POURSUIVEZ-LES ! ET NE REVENEZ PAS AVANT DE LES AVOIR ANÉANTIS !

グオオオオ

QUI CELA POUVAIT-IL ÊTRE... ON AURAIT DIT DES TÉNÈBRES VIVANTES...

...UNE BRÛLURE.

PRÉPARE-TOI, JEUNE TOURTERELLE ! À NOTRE PROCHAINE RENCONTRE, TU NE T'EN TIRERAS PAS COMME ÇA...

JE T'AI LAISSÉ ÉCHAPPER, MAIS J'AI CLAIREMENT DISTINGUÉ TON VISAGE. TU N'ES ENCORE QU'UNE FAIBLE FILLETTE...

Paru dans les numéros d'octobre 1982 à mai 1983 du mensuel "Animage".

Nausicaä de la Vallée du Vent
TITRE ORIGINAL : "KAZE NO TANI NO NAUSICA"
© 1983 NIBARIKI Co., Ltd.
All rights reserved.
First published by Tokuma Shoten Co., Ltd. in Japan.

= Edition française =

Traduction : Yann Leguin
Lettrage : Bakayaro !

EMBARQUEZ SUR **www.glenat.com**

© 2000, Editions Glénat
BP 177, 38008 GRENOBLE CEDEX.
ISBN : 2.7234.3390.0
Dépôt légal : Novembre 2000

Impression et reliure : Pollina S.A., 85400 LUÇON - n° 87552
Imprimé en France

CHEZ LE MÊME ÉDITEUR